isio
bet?

ADRAN GYMRAEG YSGOL Y MOELWYN

Hefyd gan Bedwyr Rees:

Jibar
Sbinia

pen
dafad

BEDWYR REES

isio
bet?

Hoffai'r Lolfa ddiolch i:
Ffion Davies, Ysgol Plasmawr,
Rhian Lewis, Ysgol Bro Gwaun,
Dafydd Roberts, Ysgol Dyffryn Ogwen
ac Andrea Parry, Ysgol Dyffryn Conwy.
Hefyd, i holl ddisgyblion ysgolion Botwnnog, Penweddig, Bro Myrddin,
Dyffryn Conwy, Dyffryn Ogwen a Plasmawr am eu sylwadau gwerthfawr.

Argraffiad cyntaf: 2005
ⓑ Awdurdod Cymwysterau, Cwricwlwm ac Asesu Cymru, 2005

Golygyddion Pen Dafad: Alun Jones a Mared Roberts
Cynllun a llun clawr: Sion Ilar

Comisiynwyd y gyfrol gyda chymorth ariannol Awdurdod Cymwysterau,
Cwricwlwm ac Asesu Cymru

ISBN: 0 86243 805 5

Cyhoeddwyd ac argraffwyd yng Nghymru gan:
Y Lolfa Cyf., Talybont, Ceredigion SY24 5AP
e-bost ylolfa@ylolfa.com
gwefan www.ylolfa.com
ffôn +44 (0)1970 832 304
ffacs 832 782
isdn 832 813

Pennod 1

Pam nad oes neb rioed wedi siwio *Noson Lawen* dan y *trade descriptions act*? Mae cam hysbysebu rhywbath yn drosedd. *Noson Lawen*? Noson gythreulig o ddiflas i'r hogia 'swn i'n deud. Dynion wedi gwisgo fatha merchaid yn deud jôcs am deirw potel, a llwyth o hen begors efo gwallt glas yn gwlychu eu blwmars yn chwerthin. Cym on!

I neud petha'n waeth, roeddan ni i gyd wedi'n cramio i mewn i stafell wely John, yn trio craffu ar y teli yn y gornel. Tydy stafelloedd mewn tai cownsils ddim yn fawr iawn ar y gora, ond os ydyn nhw'n llawn o ddarna o geir *remote control* a ballu, does 'na ddim lle i droi ynddyn nhw.

Roedd Jason, Pits a Marie'n eistedd ar y llawr ac ro'n i wedi 'ngwasgu rhwng John a'r wal. Rŵan peidiwch â 'nghamddallt i, mae John yn uffar o foi iawn ond taswn i'n marw'r munud ma, mae o'n drewi o biso. A hwnnw'n biso cry. Deud y gwir, mae ei dŷ fo i gyd yn drewi fatha cartra hen bobol – cymysgedd o bî–pî, chwys a Dettol. Dim bai John ydy hynny,

5

cofiwch. Mae ei fam o wedi marw a'i hen ddyn o'n alci. Malcolm ydy enw iawn tad John ond Malci mae pawb yn ei alw fo am ei fod o'n sdagro rownd Dre'n chwil bob dydd. Does 'na'm disgw'l i neb allu yfad crêt o Special Brew bob dydd a neud y gwaith tŷ, nag oes?

Felly efo'r ffasiwn rwtsh ar y teli ac efo'r ogla'n dechra neud i bawb deimlo'n benysgafn, pa ryfedd ein bod ni wedi mynd i'r Dre i godi twrw? Roedd hi'n nos Sad wedi'r cyfan.

Betio oedd pob dim gynnon ni 'di mynd. Bob tro roeddan ni'n mynd i'r Dre, roeddan ni'n betio ymysg ein gilydd. Roeddan ni'n betio ar unrhyw beth: pa liw fasa'r car nesa i ddod rownd y gornel? pwy fasa'n ennill mewn *arm wrestle?* oedd John dal yn fyrjin? oedd pobol gwallt coch yn drewi pan oedd hi'n bwrw glaw? Rhwbath.

Heblaw am Marie – sy flwyddyn yn hŷn – un ar bymtheg ydan ni i gyd. Hen oedran codog. Rhy ifanc i fynd i'r pybs neu i ga'l syrf yn Spar ond rhy hen i isda yn y tŷ'n gwylio *Noson Lawen*. Mae Pits wedi ordro cardia I.D. o'r we i ni gael smalio'n bod ni'n ddeunaw, ond does 'na'm golwg ohonyn nhw chwaith. Tydan ni'm yn ca'l mynd i'r Clwb Snwcer ers i Jason sdwffio dwy bêl goch lawr ei drôns i neud pacad mwy iddo'i hun, ac mae ffenestri'r arcêd wedi eu bordio i fyny ers blynyddoedd. Mae'r Dre ma'n crap, does 'na'm

6

dwywaith am hynny. Roedd 'na goblyn o hw-ha pan agorwyd y lle pitsa newydd dipyn yn ôl. Cymry yn rhedeg y lle a phob dim – 'Pitsas Cymreig' oedd enw'r siop. Roedd 'na ostyngiad pris i hogia ysgol ac roedd ganddyn nhw arwydd *neon* crand uwchben y drws. O fewn y mis, roedd hogia wedi taflu cerrig at y T a'r A nes newid yr arwydd yn 'Piss Cymreig'. Fatha bob man arall yn y Dre, aeth y lle a'i ben iddo. Oes syndod ein bod ni i gyd yn dechra mynd yn dwlal?

'John,' medda Jason pan gyrhaeddon ni'r Maes y noson honno, 'ma'n rhaid i chdi snogio'r person nesa sy'n dod rownd y gornal 'na. Punt arni.'

'Be os mai hogyn 'di o?'

'Arbrofi, frawd,' atebodd Pits gan ffidlan efo'i *iPod*, 'beth wyt ti – carreg ta sbwnj?'

Roedd Pits wedi dechra siarad fel 'na byth ers iddo fo fynd ar weithdy rapio efo rhyw foi o Dregaron oedd yn rapio am ei fachgendod yn y Bronx. Mae unrhyw un sy'n defnyddio'r gair gweithdy a ddim yn saer yn sbanar cyn dechra, ond mae pobol sy'n dod o'r wlad ac yn gwisgo fel rhwbath o Harlem yn waeth byth. Ond dyna ni, roedd Pits wedi llyncu'r cwbwl lot.

'Dwi'm yn snogio dyn,' protestiodd John wedyn.

'Fyddi di'n colli'r bet felly,' meddwn i yn chwerthin, 'punt i Jason.'

'Na i snogio'r hogan nesa sy'n dod rownd y gornal ta,' medda John.

'Digon da,' atebodd Jason, 'ond os wyt ti'n jibio, ti'n ca'l *Chinese burn*.'

Bwli ydy Jason. Tydy hi'm yn rhy ddrwg os oes 'na jans i chi allu rhoi harnish i'r boi sy'n eich bwlio chi, ond ma Jason yn galad fatha haearn Sbaen. 'Dan ni i gyd ei ofn o drwy'n tina ac allan. Mewn tref fechan fel hon, dach chi'n gorfod bod yn ffrindiau efo pawb bron sy 'run oed â chi – heblaw eu bod nhw'n ffrîcs neu yn drewi'n ddiawledig. Mae John ar y ffin ar ddau gownt ond mae o'n crafu drwodd am ei fod o'n foi iawn.

Mae Jason wedi bod yn rhan o'r criw ers i ni fod yn yr ysgol gynradd ac ma pawb ormod o'i ofn o i ddeud wrtho fo ein bod ni'm isho fo'n ffrind dim mwy. Fasa fo'm yn meddwl ddwywaith am roi hedbyt i rywun. Dyna pam 'dan ni i gyd yn hiwmro'r boi. Dwi'm yn siŵr pam ei fod o mor galed chwaith. Ma'r pump brawd arall rêl cachwrs. Wedi deud hynny, tadau gwahanol sy gan bob un ohonyn nhw dwi'n meddwl. Ma 'na lwyth o fois *dodgy* wedi bod yn byw yn nhŷ Jason. 'Dan ni i gyd wedi colli cownt ar faint o 'yncls' mae o wedi eu cael dros y blynyddoedd. Y theori gora pam bod Jason fel mae o ydy bod ei dad o'n siŵr o fod yn foi peryg. Y broblem ydy nad oes neb yn siŵr iawn pwy ydy tad Jason. Yr unig gliw sy gynnon ni ydy bod mam Jason yn deud mai Ford Transit glas oedd ei hen ddyn o'n ddreifio.

Mi nathon ni ddisgwyl am oesoedd nes i rywun

ddod rownd y gornel. Y peth cynta welson ni oedd pâr o fŵts ffyr. Dim rhai trendi, ond yr hen rai yna efo zip i fyny'r canol. Y tu ôl i'r bŵts roedd troli tartan mae hen bobol yn lecio eu llusgo. Roedd y greadures yn siŵr o fod yn ei nawdegau.

'Risylt!' chwarddodd Jason.

'Go'hed, John,' meddwn inna, 'dos i'r afael â hi!'

'Bechod, hogia!' medda Marie, 'oes rhaid i chi bigo ar bobol ddiniwed drwy'r adeg?'

Mae Marie'n llawer iawn mwy sensitif na'r gweddill ohonan ni. Mae ei mam hi'n wael iawn – *motor neurone disease*. Mae Marie wedi gofalu amdani bron rownd y cloc ers y ddwy flynadd dwytha. Mae 'na garedigrwydd yn perthyn i Marie sy wedi gadael y gweddill ohonan ni erstalwm.

Syllodd John yn hir ar yr hen wreigan. Doedd o ddim isho colli punt a doedd o ddim isho *Chinese burn*. Roedd jibio bet yn beth ofnadwy i'w wneud yn llygaid y criw ond roedd y bet yma'n codi pwys ar John. Roedd gan yr hen wreigan fwstash ac roedd 'na fymryn o sŵp pys wedi caledu yng nghornel ei cheg. Ar ben hynny, dwi'n siŵr bod John yn amheus iawn oedd y math yma o beth yn gyfreithlon.

'Sori, hogia,' medda John yn benisel, 'no wê!'

'Cwid!' gwaeddodd Jason, 'a tyd â dy fraich yma.'

'Ga'd lonydd iddo fo, Jason,' protestiodd Marie. Hi oedd yr unig un nad oedd arni ofn Jason.

'Cau hi, 'rhen ast.'

Cododd John lawes ei grys yn araf ac yn ufudd. Ro'n i'n gwingo, jest wrth feddwl am y peth. Ro'n i wedi cael *Chinese burn* gan Jason o'r blaen ac yn gwbod yn iawn faint oedd o'n brifo. Clampiodd Jason ei ddyrnau rownd braich John fatha feis. Roedd ei lygaid o'n disgleirio a'r hen olwg hyll 'na wedi dod ar draws ei wyneb. Dwi'n meddwl y gallwch chi ddeud lot am rywun oddi wrth y posteri sy ganddyn nhw ar eu waliau. Dim ond un poster sy gan Jason ar wal ei stafell o. Er tegwch, does gynno fo'm llawer o le i roi mwy gan fod dau fync bed yn y stafell. Poster o'r Kray Twins sy gynno fo, dau gangster oedd yn byw yn Llundain erstalwm. Mae Jason yn addoli'r Kray Twins am fod ar bawb eu hofn nhw. Dwi'n meddwl mai uchelgais ei fywyd o ydy codi ofn ar bawb yn Dre. Trist, ond gwir.

'Barod?' sgyrnygodd Jason.

'Ydw – sydyn!' atebodd John.

'Iawn. Pump, pedwar, tri… '

Ond cyn iddo gyrraedd un, roedd Jason wedi dechrau troi braich John fel tasa fo'n gwasgu dŵr o dywel.

'*Aaaaa!*' gwaeddodd John wrth ddisgyn ar ei bengliniau.

'Stopia!' gwaeddodd Marie, ond dal ati wnaeth Jason nes bod John yn ei ddagrau bron.

Chwarddodd Jason dros bob man wrth ollwng ei afael a gadael John yn gwingo ar y llawr. Roedd braich John yn edrych fel tasa rhywun wedi tollti tegell o ddŵr berwedig drosti.

'Mi fasa'n well gen i petawn i 'di snogio'r hen ddynas 'na,' cwynodd John gan frathu ei dafod.

Efo'r bymfflyff oedd gan John ar hyn o bryd, ro'n i'n meddwl y basa hynny'n risgi 'cofn i fwstashys y ddau fachu'n ei gilydd fatha 0. Ddudis i'm byd chwaith – yn ôl ei olwg, doedd 'na fawr o hwylia ar John druan.

Estynnodd Jason i boced John am ei bunt cyn troi ata i.

'Bleddyn y *Welsh Nash* uffar, chdi sy nesa.'

'Cau hi Jason y sbanar!' meddwn i gan fynd i dempar yn sydyn. Dwi wedi cael llond bol ar Jason yn galw fi'n *Welsh Nash*.

'Be ddudist ti?' mynnodd Jason gan gau ei ddyrnau'n dynn.

'Mi glywist ti'n iawn,' meddwn inna wedyn gan gamu ymlaen. 'Dwi 'di ca'l llond cratsh arnach chdi. Faswn i'm yn ffrindia efo chdi o gwbwl tasa ni'm yn byw yn y twll yma!'

'Dwi'n mynd i leinio dy wynab nashi di, Bleddyn!' gwaeddodd Jason gan lynjo amdana i â'i ddyrnau'n chwifio fel melinau gwynt.

Mi gamais i'r naill ochr yn sydyn gan lanio dwy jab

ar ên Jason cyn gorffen petha efo lwmp o *uppercut* nes bod Jason ar ei hyd ar y pafin yng nghanol y sdymps ffags a'r *chewing gums* 'di caledu.

'*Nice one*, Bledd!' chwarddodd John.

'Ffwrnais o drais! Parch!' meddai Pits.

'O Bleddyn, ti mor gry!' sgrechiodd Marie gan lapio'i breichiau amdana fi a rhoi coblyn o snog i mi.

Ro'n i'n teimlo'n grêt.

Dim dyna ddigwyddodd go iawn, wrth gwrs. Dyna faswn i wedi lecio ei weld yn digwydd. Dyna nes i ddychmygu y leciwn i petai o wedi digwydd wrth i mi feddwl yn ôl dros y peth yn fy ngwely. Be ddudis i go iawn oedd:

'Iawn, Jase, be tisho i fi neud?'

Dwi gymaint o gachgi. Deud un peth, yna meddwl wedyn beth faswn i wedi lecio ei ddeud go iawn. Piti na fasach chi'n medru pwyso *pause* ar eich bywyd. Fel 'na, os oes 'na rywun yn deud rhwbath cas wrthach chi, mi fasach chi'n medru pwyso *pause*, meddwl am rwbath clyfar i'w ddeud wrth ateb yn ôl, wedyn pwyso *play* a llorio pobol efo'ch ceg. Ond be sy'n digwydd fel arfer ydy 'mod i'n cochi at fy nghlustia ac yn mymblo rhwbath hollol crap. Fatha nes i'r tro yma. Mi faswn i'n lecio deud wrth Jason 'mod i ddim yn nashi jest achos 'mod i'n byw mewn tŷ *semi-detached* ac wedi adrodd yn y Steddfod unwaith. Ond dyna ni, mae gen i enw Cymraeg ac mae Mam a Dad wedi prynu eu tŷ cownsil, felly i Jason dwi'n nashi. Mi faswn i wedi lecio ei ddecio fo, ond be nes i oedd cytuno ag o fel bydda i'n neud bob tro.

''Na i roi tenar i chdi os galli di ga'l Mr Morris y gweinidog i roi slap i chdi,' meddai Jason gan bwyso'n ôl yn erbyn y wal a fflemio ar y llawr.

Roedd hon yn hen, hen fet. Roeddan ni wedi trio cael y gweinidog i roi slap i ni ers tua chwe mis. Roedd Pits wedi rhwbio *Deep Heat* yn ei drôns o tra oeddan nhw ar y lein; roedd John wedi herwgipio Moses ei labrador; roedd Jason wedi rhoi *clingffilm* dros bowlen toilet y capel nes bod Mr Morris wedi cael sbrencs dros ei drowsus wrth basio'i ddŵr sanctaidd ac roedd Marie wedi llenwi set gefn ei gar efo cylchgrona budron. Ta waeth, er cymaint roeddan ni'n tynnu arno fo, chododd y gweinidog erioed ei ddwrn ar neb. Roedd petha'n mynd yn fwy eithafol bob tro ac roedd y stêc yn adlewyrchu hynny.

'Tenar,' meddai Jason wedyn.

'Ti'n gêm?' holodd Pits.

Roedd yn rhaid i mi feddwl yn galed am hyn. Doedd gen i ddim tenar i'w sbario taswn i'n methu, ond roedd y demtasiwn o gael y tenar yn fy mhoced yn ormod i mi.

'Yndw. Awê!' meddwn i gan nodio.

'Ac os dio'm yn rhoi dwrn i chdi – mi fydda i,' gwenodd Jason.

Mi edrychais ar ddwrn Jason. Roedd o'n greithiau drosto, a phob craith yn adrodd hanes anffawd gan rywun yn rhywle. Roedd yna ormod yn y fantol y tro ma. Roedd yn rhaid i mi lwyddo.

Mi benderfynais lawnsio *Operation Doorstep Mayhem*!

Ro'n i wedi bod yn meddwl am gynllun erstalwm. Os na faswn i'n cael slap gan Mr Morris am hyn, faswn i'm yn cael slap gynno fo am ddim byd.

Y peth cynta roedd yn rhaid i mi neud oedd cael gafael ar bapur newydd. Mi ffeindiais hen gopi o'r *Daily Mail* mewn sgip ar un o strydoedd cefn y Dre ac mi es ati i ddewis fy nhudalen yn ofalus. Ar y tudalennau canol, roedd 'na gwis am y teulu brenhinol. Papur lapio perffaith.

Wedyn, roedd yn rhaid i mi snwyro am faw ci. Doedd hynny ddim yn anodd. Maen nhw'n deud nad dach chi byth pellach na deg llath oddi wrth lygoden fawr yn Llundain. Yn ein tre ni, tydach chi byth pellach na deg llath oddi wrth faw ci.

Mi lapiais y baw ci'n ofalus mewn lluniau o'r teulu brenhinol cyn anelu am dŷ Mr Morris. Daeth gweddill y criw efo fi gan guddio y tu ôl i'r wal. Doedd ganddyn nhw ddim syniad beth ro'n i am neud.

'Ti'm am bostio hwnna iddo fo?' holodd Marie gan droi ei thrwyn.

'Diffyg gwreiddioldeb, Bledd,' ategodd Pits.

'Dim dyna dwi'n neud,' atebais inna, 'byddwch yn ddistaw a chadwch o'r golwg.'

Yn araf bach, mi roddais yr anrheg yn daclus ar ganol stepan drws Mr Morris. Estynnais am fy leitar a chynnau corneli'r papur newydd. Chwythais yn ofalus ar y fflam nes iddo gydio go iawn yn y papur gan wneud i fwg du gyrlio i fyny'n ddrewllyd o'r anrheg. Curais ar ddrws Mr Morris cyn rhedeg i guddio ar sdepan tŷ drws nesa.

Doedd Mr Morris ddim chwinciad cyn ateb y drws.

'Bobol bach!' ebychodd dros bob man pan welodd fod ei sdepan drws ar dân.

Heb feddwl, fe ddechreuodd sathru'n wyllt ar y fflamau er mwyn ceisio eu diffodd. Roedd o'n waldio'i droed i fyny ac i lawr, i fyny ac i lawr fel petai'n trio lladd morgrug. Ro'n i'n gallu clywed y criw yn glanna chwerthin y tu ôl i'r wal.

Wnaeth pethau ddim gwawrio ar Mr Morris y gweinidog nes roedd o wedi diffodd pob fflam afradlon. Edrychodd i lawr a sylweddolodd ei fod wedi jobio'r baw ci dros bob man. Roedd gwaelod ei goes yn faw i gyd fel tasa fo wedi camu mewn cors. Ac i wneud pethau'n waeth, roedd o yn nhraed ei sana!

Aeth o'n honco!

'Blydi hel!' gwaeddodd dros bob man gan daflu ei *National Geographic* i'r lôn.

Dwi'm yn siŵr os ydy hi'n beth arferol i

weinidogion yr Efengyl regi fel 'na, ond roedd Mr Morris yn ben caets 'swn i'n deud. Jest yr amser i dorri'r newyddion iddo. Camais allan o fy nghuddfan a'i wynebu. Roedd gweddill y criw wedi dangos eu gwynebau erbyn hyn hefyd ac roeddan nhw'n crio chwerthin.

'Moch!' bytheiriodd y gweinidog.

'Helô Mr Morris,' meddwn i'n wên i gyd, 'fi nath hynna.'

Mi edrychais ym myw llygaid Mr Morris. Wnaeth o droi'r foch arall? Dim peryg! Fe roddodd Y Parchedig Gwilym Morris B.A. M.Div. lwmp o swadan i mi reit yng nghanol fy nhrwyn nes i mi ddisgyn yn ôl i ganol y stryd. Roedd hi'n dipyn o slaes. Tasa 'na ornest focsio rhwng ysgolion Sul, mi faswn i'n rhoi pres da ar Mr Morris.

Roedd fy nhrwyn i'n deilchion, ond o'r diwedd, ro'n i wedi ennill y bet. Er bod fy mhen i'n troi, ro'n i'n medru clywed y criw'n chwerthin a chlapio. Am unwaith, fi oedd yr arwr a fi oedd yn cael y sylw. Gwenais. Ro'n i ddeg punt yn gyfoethocach ac wedi cael blas ar y busnes betio yma!

Pennod 2

Cyrraedd adra oedd yr hen go' a minna'n dal yn 'y ngwely y dydd Sad canlynol. Roedd hi wedi naw o'r gloch y bore arno fo'n dod yn ôl i'r tŷ. Y munud clywais i'r drws ffrynt yn cau, ro'n i'n gwbod y bydda 'na drwbwl. Mae gan ddyn blin, chwerw ffordd arbennig o gau'r drws, a phan mae Dad yn flin – y peth calla i'w neud ydy cadw draw.

Mi atseiniodd clec y drws drwy fy esgyrn i gyd.

'Bleddyn!' gwaeddodd Dad wrth i mi ei glywed o'n tynnu ei gôt.

Ro'n i'n gallu deud o'r llofft bod ei dafod o'n dew. Mi glywais Mam yn y gegin yn gosod sosban o'r neilltu'n ofalus cyn diflannu'n dawel drwy ddrws y cefn. Mae'n rhyfedd bod angen rhoi'n dillad ar y lein bob amser mae Dad yn dod adra.

Mi ddechreuodd o gamu'n droetrwm i fyny'r grisiau. Fel tasa fo'n sodro holl rwystredigaethau ei fywyd i mewn ym mhob cam. *Thymp, thymp, thymp.* Pob cam yn dod â fo'n agosach at ddrws fy stafell i. Roedd y cwch wedi cyrraedd yn ôl o Gaergybi ers toc

17

wedi hanner nos. Dwi'm yn gwbod lle mae o'n mynd rhwng hynny a chyrraedd adra, ond 'di o byth fel tasa fo'n gneud llawer o les i'w hwylia fo. Ro'n i'n medru deud wrth amseriad ei gerddediad bod y ddefod wythnosol ar fin dechrau.

A.B. ydy'r hen go'. *Able Bodied Seaman.* Gweithio am wythnos, yna adra am wythnos. Ar y llong mae 'na ddisgyblaeth a rheolau. Mae'n rhaid iddo gadw'r cythral sy'n cnoi y tu mewn iddo dan glo, o'r golwg. Dim ond pan mae o ar ei aelwyd ei hun mae'r dyn go iawn yn ymddangos.

Dwi'n cofio gofyn i Mam unwaith be oedd hi'n neud yn byw efo fo. Doedd o ddim fel hyn pan oeddan nhw'n caru, medda hi.

'Pam dwyt ti ddim yn ei ada'l o ta, Mam?' holais i wedyn.

'Does neb yn gwbod beth sy rhwng dau berson, Bleddyn bach,' atebodd hi'n dawel cyn codi i roi rhagor o lo ar y tân.

'Nathon ni ddim siarad am y peth byth wedyn.

Pan gyrhaeddodd Dad dop y landin, mi nes i ystyried mynd i gloi drws fy stafell. Ond wedyn – i be? Dim ond rhoi cic i'r drws fasa fo. Felly mi sefais yno yn fy nhrôns yn disgwyl.

Roedd ei lygaid o'n fflamio pan wthiodd ddrws fy stafell o'r neilltu. Roedd 'na ôl ambell i beint arno fo ond doedd o ddim gwaeth na'r arfer. Mae Dad yn gallu rheoli ei yfed yn weddol. Methu rheoli ei dempar mae o, er nad ydy'r naill fawr o help i'r llall chwaith.

'Bleddyn, y cachwr bach,' medda fo gan sodro ei lygaid clwyfus arna i.

'Iawn, Dad?'

'Be ti neud yn dy stafall wely adag hyn o'r bora?'

'Dwn i'm.'

Edrychodd Dad o gwmpas fy stafell fel tasa'r posteri'n chwyrlïo rownd a rownd yn ei ben. Posteri o fynyddoedd a lonydd a moroedd ym mhen arall y byd. Llefydd pell, pell o fan hyn.

'Ti'n meddwl bod chdi am ga'l gweld y llefydd ma rywbryd 'lly?'

'Dwn i'm.'

'Nag wyt yli, achos ti'n dda i uffar o ddim byd. Ti'n dda i ddim yn yr ysgol, ti'n dda i ddim am chwara ffwtbol a ti'n dda i ddim i mi yn dal yn dy wely, dallta.'

Doedd 'na ddim pwynt dadlau efo Dad ac ynta yn yr hwyliau yma. Roedd gynno fo ddyfodol disglair o'i flaen erstalwm, meddan nhw. Roedd o'n ddyn uchelgeisiol cyn i fywyd gael y gorau arno. Ei unig uchelgais o rŵan ydy llusgo pawb arall i'r baw efo fo.

Mi gymrodd gam yn ei flaen nes ei fod o'n sefyll drwyn yn drwyn efo fi.

'Bob wythnos, pan dwi ar y llong 'na, dwi'n breuddwydio am gael dod adra i ffeindio bod chdi 'di mynd i rwla. Bod chdi'm yma ddim mwy o dan 'y nhraed i. 'Mod i ddim yn gorfod sbio ar dy wep di a chael siom. Dyna'r unig beth wyt ti i mi, Bleddyn – siom, ti'n gwbod hynna?'

A dyna ni. Mor gryno a thwt a thaclus. Dwi rioed wedi medru penderfynu ydy Dad yn meddwl be mae o'n ddeud, achos weithia mae o'n medru bod y boi clenia fyw. Y bore hwnnw, ro'n i jest yn ddiolchgar 'mod i heb gael cefn llaw gynno fo. Mae hynny'n rhywbath.

Os o'n i'n disgwl ffeindio dihangfa o'r rhigol pan sleifiais i allan i'r Dre, mi gefais fy siomi.

'Rhywun isho betio ar rwbath?' gofynnodd Jason wrth edmygu ei adlewyrchiad yn ffenest y siop kebabs.

'Sgin i'm llawer o bres,' atebodd John oedd yn sdicio cwmpawd yn ei law jest i weld oedd o'n brifo.

'Mi fydd yn rhaid i ni ddwyn felly, bydd,' medda Jason heb feddwl ddwywaith am y peth.

'Mae gofyn i mi snogio hen bobol yn ddigon,' atebodd John, 'dwi'm ar fin dechra'u mygio nhw.'

'Dwyn o siopau, de,' meddai Jason. 'Faint rowch chi i mi am ddwyn o siop ddillad?'

'Ffeifar,' meddwn inna.

'Bledd, paid â'i annog o,' crefodd Marie ond ro'n i jest isho deud rhwbath er mwyn anghofio am rwbath arall.

Poerodd Jason ar gledr ei law ac fe ysgwydon ddwylo. Ella ei fod o'n boen tin, ond roedd ei antics twp o'n ddigon i ladd amsar ambell i bnawn fel hyn. Roedd y fet wedi ei gosod.

Dim ond un siop ddillad gall sy 'na yn y Dre. Be dwi'n olygu ydy siop sy'n gwerthu dillad sy bron â bod yn ffasiynol. Mae llwyth o siopau dillad eraill yma os dach chi eisiau edrych fatha golffar neu *sad case* cyffredinol.

Ffwrdd â ni i gyfeiriad Fuse felly efo Jason yn meddwl sut i gyflawni'r weithred.

'Mae llwyth o gamerâu yn y siop, sdi,' medda John wrth i ni syllu drwy'r ffenest.

'Oes, a llond lle o thicos yn gweithio yna hefyd,' atebodd Jason.

Am unwaith, roedd o'n llygaid ei le. Tydy genod Fuse ddim y clyfra na'r delia o greaduriaid Duw. Os dach chi'n mynd i rwla fatha Caer neu Gaerdydd, ma'r genod sy'n gweithio mewn siopa dillad yn uffar o betha poeth efo colur chwaethus a thongs tena hanner ffordd i fyny eu cefna. Mae genod Fuse hefyd yn ddigon bodlon i'r byd a'r betws weld eu thongs nhw ond y gwahaniaeth ydy nad oes neb isho gweld thongs rhain. Maen nhw i gyd yn gwisgo dillad sy o leia dau faint yn rhy fach iddyn nhw. Ar y diwrnod penodol yma, roedd yr un tu ôl i'r cowntar yn edrych fel tasa hi 'di gorfod defnyddio *shoehorn* i fynd i mewn i'w jîns. Mi fasa hi isho *tin opener* i gael dianc allan ohonyn nhw, ar f'enaid i. Na, roedd Jason yn iawn. Os oedd un gwendid yn strategaeth diogelwch Fuse, y staff oedd hwnnw.

'John,' medda Jason ar ôl pendroni, 'dwi angen dy help di.'

'Dim dyna oedd y bet,' atebodd John.

'Mi gei di hanner y pres.'

'Iawn, be ti isho i mi neud?'

Tydy John byth yn un i droi ei drwyn ar bres.

'Pan dwi'n mynd i mewn i'r lle newid, dwi isho i chdi fwydro pen yr hogan tu ôl i'r cowntar yn rhacs.'

'Be dduda i wrthi?'

'Be bynnag sy'n dod i dy ben di. Tyd!'

A gyda hynny, mi afaelodd Jason ym mraich John a'i lusgo i mewn i'r siop gan adael Pits a finna'n gwylio pethau'n datblygu wrth y drws.

Sgwariodd Jason drwy'r siop yn geiliog i gyd gan wenu'n braf ar y genod.

'Iawn, dol – diwrnod braf!' medda fo'n glên wrth yr un oedd wedi cymysgu rhwng maint ei jîns a maint ei sgidia.

Fe ddechreuodd fodio'n hamddenol drwy'r gwahanol ddillada gan bigo ambell beth yma ac acw a'u plygu nhw'n dwt dros ei fraich.

'Gymaint o betha neis yma,' medda fo wrth yr hogan wedyn, 'anodd gwbod be i'w ddewis.'

Roedd John wedi mynd yn nyrfys i gyd wrth wylio Jason yn mynd trwy'i betha. Roedd ei groen o'n fflamgoch ac ambell ddeigryn o chwys wedi ffurfio ar ei dalcen. Sylwodd Jason fod John yn bricio'i hun a sibrydodd yn ei glust wrth basio heibio.

'Tisho i mi ddwyn trôns i chdi hefyd, John?'

'Pam?' holodd John yn ddiniwed.

'Wrth yr olwg sy arnach chdi, ma'n siŵr bod rhai chdi'n sgidmarcs i gyd – fatha *start line* Silverstone!'

'Dos o'ma!' sibrydodd John gan bwnio Jason yn ei asennau.

Gwenodd Jason ei wên 'trystiwch fi, dwi'n foi iawn' gora wrth iddo basio'r cowntar.

'Am drio rhain, os ga i.'

'Croeso tad,' atebodd yr hogan gan godi ei thong hyd yn oed yn uwch, fel petai hi'n trio ei fachu dros ei hysgwyddau fatha siwt nofio.

Diflannodd Jason i'r ciwbicl newid gan dynnu'r llen y tu ôl iddo. Llyncodd John ei boer. Roedd hi'n amser iddo ennill ei fara menyn. Tydy John ddim yn giamstar ar sgwrsio efo genod ar y gora, ond pan mae o dan bwysa, mae o'n anobeithiol. Llusgodd ei draed draw at y cowntar efo holl hyder rhywun sy newydd sgorio *own goal* i religetio'i dîm o'r *Premiership*.

Mwydro pen yr hogan yn rhacs oedd cyfarwyddiadau Jason, ond sefyll yno'n gwenu fatha giât, fel tasa ganddo fo *coat hanger* yn ei geg wnaeth John.

'Alla i dy helpu di?' gofynnodd yr hogan.

'Ym … helô … fy enw i ydy John Lewis … ' mwmblodd ein harwr dewr.

'Helô.'

'Dwi'n lecio ceir … '

'Da iawn chdi.'

Roedd brên John wedi rhydu i gyd. Roedd yr hogan yn syllu'n hurt arno. Roedd yn rhaid iddo ddeud y peth cynta fyddai'n dod i'w ben, yn union fel roedd Jason wedi dweud wrtho.

'Thong neis gin ti.'

'Be???' meddai'r hogan yn anghrediniol, gan sbio ar John fatha lwmp o faw sowdl.

'Ond anghyfforddus dwi'n siŵr – fatha sychu dy din efo cortyn bêls.'

'Be!?' ochneidiodd yr hogan.

Doedd y busnes 'deud y peth cynta sy'n dod i dy feddwl di' ddim yn llwyddiannus iawn i'n John ni.

Drwy lwc, fe ddaeth Jason yn ei ôl o'r lle newid cyn i'r hogan gael ei themtio i gau wili John yn y til.

'Dim byd yn ffitio 'chan!' meddai Jason yn hwyliog gan daflu toman o ddillad ar y cowntar. 'Tyd John, mae'n amser i chdi gymryd dy dabledi.'

Cyn i John gael amser i brotestio, roedd Jason wedi ei dynnu allan o'r siop ac roeddan ni i gyd yn ei heglu hi i fyny'r stryd.

'Jason y jibar,' meddwn i pan gyrhaeddon ni'r cae swings, 'ffeifar i fi.'

'Dyna lle ti'n rong, boi,' medda Jason yn syth gan agor cortyn ei dracsiwt.

Tynnodd Jason ei drowsus i ddatgelu pâr o jîns newydd sbon cyn codi ei siwmper i ddangos dau dop a'r labeli'n dal arnyn nhw.

'O'dd gen i gymaint o stwff, chafodd hi'm amser i gyfri bob dim. Ffeifar – rŵan!'

Chwilotais drwy fy mhocedi'n sydyn i ffeindio pum punt mewn arian mân. Arian mân roeddan ni i gyd yn gario. Roeddan ni'n giamstars am wybod lle i ffeindio pres. Mewn blychau ffôn, lawr cefn seti bysus, mewn loceri yn y Ganolfan Hamdden. Os oedd 'na bres yn gorwedd o gwmpas, roeddan ni'n siŵr o'i ffeindio.

Teflais y pres i gledr llaw Jason.

'*Another day, another dollar!*' chwarddodd hwnnw.

'Fi pia'i hannar o,' mynnodd John.

'Paid â bod yn wirion, John bach, 'mhres i 'di hwn.'

'Ond mi nest ti addo.'

'Nes i ddeud y gair gaddo?'

'Naddo,' cyfaddefodd John yn dawel.

'Dyna chdi ta. Cym air o gyngor gen i, washi – paid â thrystio neb.'

Ro'n i'n gweld y peth yn hen dric sâl ond gallwch fentro nad oedd gen i'r wyneb i ddeud dim.

'Ti'm yn teimlo'n giami am ddwyn, Jase?' holodd Pits.

'Na, pam ddyliwn i?'

'Wel, mae o fatha pan ti'n recordio miwsig a ballu – yr artistiaid sy'n diodda yn y pen draw.'

'O bw-hw, ma 'nghalon i'n gwaedu,' gwawdiodd Jason, 'does 'na'm byd yn bod ar ddwyn gan gwmnïa mawr siŵr – maen nhw'n *loaded*.'

'Ti am ddwyn o'no eto?' holais i'n ddiniwed.

'Dwi heb ddechra go iawn eto,' chwarddodd Jason gan dynnu'r label Fuse oddi ar y jîns.

Roedd y busnes betio ma wedi cydio go iawn yn Jason ac roeddan ni i gyd yn ormod o gachwrs i dynnu'n groes.

Pennod 3

Rhain oedd eiliadau mwya cyffrous pob wythnos. Roedd fel petai amser yn teithio trwy driog. Pawb ar goll yn eu byd bach eu hunain. Ro'n i wastad yn dychmygu beth oedd yn mynd trwy bennau'r gweddill wrth i bawb grafu'r *scratch cards*. John yn dychmygu ei hun yn bomio ar hyd Route 66 mewn Pontiac; Pits yn gweld ei hun yn dilyn Eminem ar daith rownd Ewrop; Marie'n dychmygu ei bod yn gallu talu er mwyn gneud ei mam yn fwy cyfforddus; Jason yn gweld ei hun efo llwyth o aur rownd ei wddw yn gyrru rownd y dre mewn car efo stereo enfawr a sboilar hyd yn oed mwy. Fi? Dwi'm yn siŵr am be ro'n i'n ei freuddwydio. Jest am dorri'n rhydd am wn i. Cael gadael y diflastod yma ar ôl a rhedeg i ffwrdd i rywle a chael bod yn hollol rhydd.

Ond yr un oedd y canlyniad bob tro:

PITS: 'Crap.'

FI: 'Rybish.'

MARIE: 'Wâst o bres.'

JASON: 'Ceiniog lwcus myn diawl i.'

JOHN: 'Be nawn ni rŵan ta?'

PAWB: 'Betio ar rywbeth!'

Roeddan ni i gyd yn gytûn mai tro John oedd derbyn y bet nesa. Ond be?

'Rhedeg yn noeth drwy'r stryd,' cynigiodd Marie.

'Yn y tywydd oer 'ma?' protestiodd John.

'Ia, chwara teg,' meddwn i, 'fasa'i hen beth o wedi shriflio i gyd fatha *button mushroom*!'

'Dos i grafu ochor y car 'na'n fan'na,' medda Jason gan bwyntio at sleifar o Audi TT arian.

Tydy John erioed wedi dangos llawer o ddiddordeb mewn genod ond dwi'n meddwl ei fod o'n caru ceir. Mae o'n sôn am geir secsi drwy'r adeg – Nissan 350Zs, BMW Z4s, Aston Martin DB9s a ballu. Dwi wir yn meddwl ei fod o'n meddwl amdanyn nhw fatha merchaid. Sglyfath budur! Mae o hyd yn oed wedi prynu car yn ddiweddar i weithio arno fo erbyn iddo fod yn un deg saith. Corsa 1.1 digon codog ydy o, ond mae John yn sôn amdano fatha tasa fo'n Ferrari.

Roedd gofyn iddo grafu car mor neis â hwn yn gabledd i John.

'Alla i'm gneud hynna!' ochneidiodd John.

'Ty'laen,' medda Jason, 'ma'n amlwg bod gan y boi sy pia fo doman o bres.'

'Ma gin ti fwy o jans o ffeindio cachu ceffyl pren na 'ngweld i'n crafu'r car 'na,' medda John yn benderfynol.

'Slashia teiars y Fiesta 'na ta,' meddai Jason gan ddechrau mulo ei hun.

'Na,' medda John.

'Cym on, Jason, 'dan ni'n mynd yn rhy bell rŵan,' medda Marie.

'*Zip it* ia, Marie,' atebodd Jason, 'pam wyt ti'n hongian o gwmpas efo ni fwya sydyn beth bynnag?'

Roedd o'n gwestiwn digon call. Roedd Marie wedi bod efo ni ers tua chwe mis bellach. Mae hi'n deud ei bod hefo ni am fod ei hen ffrindia, Rebecca a Kay, wedi dechra smocio dôp. Dwi'n meddwl mai jest isho bod allan o'r tŷ am sbel mae hi. Beth bynnag y rheswm, os ydy hi wedi dod aton ni am achubiaeth, mae hi wedi gneud camgymeriad mawr.

'Tenar, John,' medda Jason wedyn, braidd yn fygythiol, 'ro'n i'n meddwl bod chdi'n hel i ga'l egsôst newydd i'r Corsa.'

Pendronodd John am eiliad. Roedd hynny'n wir. Car John oedd y peth pwysica yn ei fywyd.

'Be os dwi ddim yn gneud?' gofynnodd John.

'Mi fydd arnach chdi denar i mi a dwi'n rhoi gwerth munud o *dead legs* i chdi.'

Doedd hynny ddim yn swnio'n bleserus o gwbwl. Roedd yr hen olwg benderfynol, hyll 'na wedi dod dros wyneb Jason a'i wefus wedi dechrau crychu. Dim ond edrych ar rywun roedd yn rhaid i Jason wneud cyn cael ei ffordd ei hun. Roedd o'n gwbod bod pawb, yn enwedig John a finna, ei ofn o i ffitia.

Nodiodd John.

'Tyd â'r gyllell i mi.'

Estynnodd Jason ei gyllell boced i John. Edrychodd John arni wrth deimlo oerni ei charn yng nghledr ei law. Roedd hyn yn gwbwl groes i egwyddorion John, ond roeddan ni i gyd yn yr un twll erbyn hyn. Rhywsut neu'i gilydd roedd daliadau pawb wedi newid. Roedd y diflastod, dylanwad Jason arnan ni, a'n hanallu i dynnu'n groes iddo yn golygu ein bod ni i gyd ar lwybr ansicr iawn, gyda'r stêcs yn codi'n uwch bob tro. Mi fasa Jason wedi gallu mynd i drwbwl mawr efo'r heddlu am ddwyn o'r siop ac roedd John ar fin cyflawni difrod troseddol, ond yr unig beth oedd yn bwysig bellach oedd y bet. Dim ond drwy gyflawni'r bets roeddan ni'n gallu profi ein dewrder a chael mymryn o gyffro yng nghanol diflastod bywyd bob dydd.

Edrychodd John o'i gwmpas cyn cyrcydu'n slei y tu ôl i'r Fiesta. Roedd o'n trio'i orau i beidio â meddwl am berchennog y car. Yr unig beth oedd yn bwysig iddo oedd ennill tipyn o bres i'w wario ar ei gar. Fe aeth y gweddill ohonan ni i sefyll wrth y blwch postio er mwyn gweld oedd John yn ddigon o foi i gyflawni'r fet. O lle'r o'n i'n sefyll, ro'n i'n gallu gweld bod y gyllell yn crynu yn ei law. Doedd o ddim yn gyfforddus o gwbwl yn ei dal ond roedd o angen y pres ac roedd Jason wedi mynd mor *wîyrd* am bob dim fel bod hi'n ansicr iawn be fasa fo'n neud tasa John yn jibio.

Edrychodd John o'i gwmpas unwaith eto. Mi redodd llafn y gyllell ar hyd y teiar fel tasa fo'n dychmygu beth oedd yn rhaid iddo'i neud.

'Cym on!' sisiodd Jason.

Roedd John yn anadlu'n galed a'i groen yn edrych 'run ffunud â *corned beef hash*.

Ochneidiodd John yn ddwfn. Edrychodd ar teiar, yna ar Jason, ac yna'n ôl ar y teiar. Edrychodd eto, â'r gyllell yn disgleirio yn yr haul. Roedd ar fin gneud ei benderfyniad pan ddaeth cysgod dros lafn y gyllell.

'*What d'ya think you're doing?*'

Edrychodd John i fyny ond doedd o'm yn gallu gweld llawer gan fod y dyn o'i flaen rhyngddo a'r haul. Roedd o'n anferth! Roedd gynno fo ysgwyddau fatha silff-ben-tân a mwtash fatha hen frwsh buarth. Fasa fo heb edrych o'i le ar glawr llyfr Biol, hanner ffordd rhwng y mwnci a'r dyn modern.

'*Is this your car?*' holodd John mewn llais fel tasa fo wedi cael cic yn ei geillia.

'*You're damn right it is!*' gwaeddodd yr epa-ddyn gan lusgo John i'w draed gerfydd ei wddw.

Sefyll yn stond wnaeth y gweddill ohonan ni. Doedd hyd yn oed Jason ddim isho dadlau efo'r *missing link*. Roedd petha wedi troi'n flêr! Tony Blêr!

'*Please don't hurt me!*' plediodd John efo dagrau'n ffurfio ar silff ei lygaid.

'*Not hurt you*?!' poerodd y dyn a'i wyneb 'di crychu'n wyllt fel tasa fo newydd lyfu tail buwch oddi ar ddanadl poethion, '*I'm gonna tear you a new arsehole pal!*'

Do'n i ddim yn gwbod ai chwerthin ta chrio ddylwn i neud. 'Runig beth nes i oedd gweiddi ar dop fy llais,

'Hegla hi, John!'

'*Don't bark that 'clychclych' rubbish at me lads*,' meddai ein cyfaill newydd a'i lygaid yn llosgi fel fflam weldar.

'Helpwch fi, hogia!' sgrechiodd John wrth i'r sasgwats ei wthio'n erbyn ochr y car.

'Cic 'ddo fo, lle mae o'n brifo!' gwaeddodd Jason.

Doedd John ddim angen ailwahoddiad. Gwelodd ei gyfle a chododd ei droed rhwng coesau'r dyn â'i holl nerth.

'Wwww!' meddan ni i gyd yn un côr, yn union fel torf rygbi pan fo tacl fawr yn mynd i mewn.

Disgynnodd y dyn ar ei ben+gliniau'n syth. Dio'm ots pa mor bell ar hyd y gadwyn esblygol maen nhw, yn yr un lle mae gwendid pob un!

Llwyddodd John i ysgwyd ei hun yn rhydd o afael y dyn blewog gan ei adael yn un lwmp ar y llawr yn cydio yn ei drysor. Cyn i ni droi, roeddan ni i gyd yn gneud rynar i fyny'r stryd.

'Ti newydd ddecio boi masif, John!' meddwn i pan ddaethon ni i stop o'r diwedd.

'Ddaru o'm decio fo,' mynodd Jason, 'ma unrhyw un yn medru rhoi cic fel 'na i foi.'

Jason oedd y boi caled rownd y lle yma, a doedd o ddim am i neb gymryd ei le.

'Dwi'n teimlo'n ofnadwy,' medda John yn benisel.

'Mi fasa fo 'di rhoi stîd i chdi fel arall,' cynigiodd Marie gan roi ei braich am ysgwydd John.

'Dim am hynna. Gytud 'mod i 'di meddwl slashio'i deiars o. 'Sna'm rhyfedd bod o'n flin.'

'Paid â bod yn bons, John, oddach chdi'm yn 'i nabod o felly sdwffia fo!' medda Jason.

''Swn i byth yn recio car rhywun.'

'Ddyliach chdi ddim cymryd y fet felly,' atebodd Jason. 'Tenar.'

'Sgin i'm pres,' protestiodd John.

'Ti mewn dyled felly, dwyt,' atebodd Jason gan wenu a thynnu ei gap *baseball* yn is dros ei lygaid.

'Ddyliach chdi w'bod yn well na thrystio'r cachgi yma John,' ochneidiodd Marie.

Ciciodd John y wal mewn rhwystredigaeth.

'Ma hyn yn crap!'

'Ddylsat ti ddechra rapio gyfaill,' cynigiodd Pits gan nodio i'r curiad, 'mae geiria'n rhyddhau pawb.'

'Dwi'm isho geiria, Pits – isho pres dwi!' medda

John gan godi ei lais am y tro cynta erioed.

Parhau i nodio'i ben i'r curiad wnaeth Pits. Rap ydy'i fywyd o. Mae ei stafell o'n llawn o bosteri o rapars – Eminem, P. Diddy, Jay-z a llwyth o rai dwi erioed di clywed amdanyn nhw. Os oes gynno fo rap, mae o'n hapus. Felly wrth wrando ar ei fiwsig, mae'r diawl lwcus yn medru dianc rhag diflastod y dre bob dydd.

Syrthiodd John ar y fainc a phoerodd rhwng ei draed cyn dal ei ben yn ei ddwylo ac ochneidio'n ddwfn.

Ro'n i'n gwbod sut roedd John yn teimlo. Roedd bob dydd yn union yr un peth. Yr wythnosau'n toddi i'w gilydd efo dim byd i edrych ymlaen ato. Tasa gynnon ni bres yn ein pocedi, o leia basan ni'n medru gneud rhywbath.

Dyna pryd gwelodd Jason arwydd yn ffenest Siop Elusen:

'*VOLUNTEERS WANTED TO RAISE MONEY FOR CHARITY.*'

'Dach chi'n gweld be dwi'n weld?'

'Ia?' medda Marie.

'Isho neud pres i ni'n hunain ydan ni ia, dim i bobol eraill?' meddwn i gan ysgwyd fy mhen yn flinedig. Do'n i'n methu coelio mai fi oedd newydd ddeud hynna ond dyna ni, roedd amgylchiadau wedi fy suro. Fydda i byth yn cael fy ngwneud yn Syr Bleddyn

Owen ar y rât yma.

'Does dim rhaid i ni roi'r pres iddyn nhw, nag oes?' cynigiodd Jason.

'Smalio mai iddyn nhw mae'r pres yn mynd?' gofynnodd John.

'Yn union, Inspector,' atebodd Jason yn sarci.

Yn ara bach, fe wawriodd y syniad arnon ni i gyd. Dwi'm yn meddwl bod 'run ohonan ni'n gyfforddus iawn efo'r peth ond roeddan ni i gyd yn hollol desbret.

Cytuno efo Jason nathon ni yn y diwedd.

Y cam nesaf oedd llunio ffurflenni noddi ffug er mwyn twyllo pobol y Dre. Ein tre ni ein hunain a'n pobol ni.

Does 'na'm dwywaith am y peth. Roeddan ni'n sgym.

Pennod 4

Pan gyrhaeddais i dŷ Marie, yn barod i fynd allan i hel noddwyr smalio, roedd 'na foi'n codi arwydd 'Ar Werth' yn ei gardd ffrynt hi.

'Be 'di hyn?' meddwn i pan agorodd Marie'r drws.

'Rhaid i ni roi'r tŷ ar y farchnad,' medda Marie fel mater o ffaith, 'i dalu am ofal Mam.'

Roedd y tŷ mor daclus ag arfer ganddi. Pob dim yn ei le ac eto rhywbath mawr o'i le. Roedd 'na gadair olwyn arbennig yn y pasej, llwyth o bacedi o dabledi a dau neu dri pheiriant na wyddwn i be roeddan nhw. Roedd tad Marie yn y stafell ffrynt yn gofalu am ei mam. Roedd o'n edrych fel tasa fo heb gysgu ers wythnos.

'Haia,' meddwn i gan wneud gormod o ymdrech i fod yn hwyliog.

'Helô, Bleddyn,' atebodd tad Marie wrth iddo sychu poer rownd ceg ei wraig, 'sut wyt ti?'

'Champion diolch, sut dach chi?'

Holi sut oedd o o'n i yn y bôn, ond wrth gwrs, mae 'chi' yn gallu golygu mwy nag un person. Mi edrychodd tad Marie ar ei mam am eiliad. Roedd ei phen wedi disgyn ymlaen i'w brest ac roedd hi wedi colli defnydd ei breichiau bron yn llwyr.

'Dal i gredu 'sdi boi,' atebodd ei thad â'i lygaid yn dyfrio.

Doedd gen i ddim byd i'w ddeud fyddai wedi gneud gronyn o wahaniaeth. Nes i jest sefyll yno'n dawel nes i Marie ddod yn ôl gan wisgo'i chôt.

'Ti 'di ca'l dy gôt,' meddwn i er mwyn cael deud rhwbath.

'Fyddi di'n iawn, Dad?' holodd Marie'n dyner.

'Bydda. Dos di allan er mwyn ca'l brêc o fa'ma.'

Rhoddodd Marie gusan ar dalcen 'i mam cyn i ni'n dau ddianc i'r awyr iach.

Nathon ni gerdded am sbel cyn deud dim.

'Lle dach chi'n mynd ta?' mentrais.

'I'r Alban. Am rentio lle wrth ryw 'sbyty arbennig.'

'Am faint byddwch chi 'di mynd?'

'Dwn i'm,' atebodd Marie, 'Isho neud misoedd ola Mam mor gyfforddus â phosib.'

Unwaith eto, doedd gen i ddim byd i'w ddeud. Ydy pawb fel hyn, ta jest fi?

'Mi ddoi di'n ôl, gwnei?'

'Dibynnu, Bledd. Dwi 'di trio am le ar gwrs nyrsio yno'

'Go iawn?' meddwn i, fel taswn i'n methu credu ein bod ni'n tyfu'n hŷn.

'Dwi wedi penderfynu mai dyna dwi isho'i neud. Be amdanach chdi?'

'Dwn i'm,' atebais gan sbio ar fy nhraed. Roedd y sgwrs wedi mynd i gyfeiriad hyll.

'Alli di'm nocio o gwmpas strydoedd efo Jason a'r hogia am byth 'sdi.'

'Gwbod,' mymblais inna.

'Ti am fynd i gonio pres allan o bobol heddiw?'

''Wmbo,' meddwn i wedyn. Ro'n i'n teimlo'n ddigon ciami am hynny yn barod, heb i rywun bwyso arna i.

'Rhaid i chdi feddwl be tisho neud efo chdi dy hun 'sdi, boi.'

'Mmm.'

'Be am y cwrs plastro 'na fuest ti'n sôn amdano fo?'

''Swn i byth yn ca'l hwnna,' meddwn inna gan gicio'n sodla.

'Dy dad sy 'di neud i chdi feddwl fel'na,' medda Marie'n syth. Roedd hi'n gneud i mi deimlo'n anghyfforddus. Do'n i'm yn gwbod be i neud felly mi nes i dagu cwpwl o weithia, er 'mod i ddim isho tagu go iawn.

'Rhyw ddiwrnod Bleddyn bach, ti'n mynd i orfod gneud penderfyniad – un ai dilyn yr un llwybr â Jason a rheini, neu magu ychydig o asgwrn cefn i dynnu'n groes.'

Mi edrychodd Marie arna i am rai eiliadau. Am y drydedd tro mewn diwrnod, doedd gen i ddim syniad beth i'w ddeud. *Hat trick* ar f'enaid i! Ro'n i wedi mynd i deimlo'n rhyfedd i gyd. Pan welais i'r hogia wedi casglu wrth y ffownten, alla i'm deud pa mor falch o'n i.

'*Whale Concern*?' meddwn i wrth astudio ffurflenni noddi Jason.

'Ma pawb yn lecio'r math yma o rybish dyddia yma yn'di?' gwenodd Jason.

'Tisho un, Marie?' cynigiodd John.

'Na, jest 'di dod allan am dro dwi.'

'Nashi?' medda Jason gan estyn taflen i mi.

Mi edrychais ar Marie am eiliad cyn cymryd y ffurflen gan Jason. Roedd yn rhaid i mi dynnu'n groes rhywbryd, ond dim heddiw.

Edrychodd Marie'n drist arna i wrth i ni fynd i gasglu pres ar gyfer taith gerdded, nad oedd byth am ddigwydd, yn enw elusen nad oedd ddim yn bodoli.

Mi ges i jaman yn fy nhŷ cynta un. Ro'n i wedi cloi hynny o gydwybod sy ar ôl gen i ym mhell bell yng nghefn fy mrên yn rhywle ac wedi penderfynu jest mynd amdani, gofyn yn sydyn am bres noddi a gadael bob tŷ cyn i neb amau dim. Ro'n i newydd argyhoeddi fy hun y byddai hyn yn hawdd pan atebwyd y drws gan rywun oedd yn edrych fatha *Captain Birds Eye*. Roedd gynno fo farf gwyn a chymaint o *wrinkles* fel 'mod i'n siŵr bod o'n gorfod glanhau ei wyneb efo *cotton bud*.

'Prynhawn da, Syr. Trefnu taith gerdded dros elusen ydw i. Oes gynnoch chi ddiddordeb mewn morfilod?'

'Pa fath o forfilod?' holodd y dyn yn fy ngwyneb.

Pa fath o forfilod? Sawl math sy yna? Esu mae gan hwn *bad breath* hogia bach. Ogla baco stêl, *Fisherman's Friends* a gwinedd traed i gyd efo'i gilydd. Tybed ydy o'n cnoi gwinedd ei draed ar ôl eu torri nhw? Lot o flew trwyn hefyd. *Tweezers* yn betha diarth iddo fo mae'n rhaid. Be ofynnodd o eto?

Aeth y pethau yma i gyd trwy 'mhen i cyn i mi ateb yn betrusgar.

'Pob matha. *Whale Concern*, ynde. Dach chi isho rhoi pres i mi?'

'Dwi ddim yn hoff iawn o forfilod gleision. Rhowch forfil pensgwar i mi bob tro.'

Blydi mwydryn, latsh bach.

'A finna 'chan,' meddwn i'n siarad rybish llwyr, 'lyfli o forfil. Maen nhw mor … mae eu penna nhw mor sgwâr, tydyn?'

'A beth am y morfil corniog llygatddu?' holodd *Captain Birds Eye* wedyn gan wyro'n agosach fyth ata i. Roedd 'na ogla rhwbath arall ar ei wynt o hefyd. Wedi cael macrall i ginio 'swn i'n ddeud. Y colbar gwirion hyd yn oed yn bwyta fatha morfil.

'Fy hoff forfil i o bob un!' gwenais yn glên os braidd yn ffals.

'Does 'na ddim ffasiwn forfil yn bodoli!' sgrechiodd y capten yn wyllt. 'Dwyt ti ddim yn gwbod dim am forfilod! Twyllwr!'

'Meddwl am anifail arall o'n i mae'n rhaid ... ' meddwn i gan ddechrau llithro'n gyflym am yn ôl.

Dod ar fy ôl i wnaeth y capten.

'Cerdded y planc – dyna fydd dy hanes di!' gwaeddodd dros bob man.

'Chi di'r unig blanc rownd ffor'ma,' atebais i gan ddechra rhedeg.

'Wynebwch eich côsb fatha dyn!' gwaeddodd y capten, gan chwifio'i ddwrn yn yr awyr.

Dim ffiars! Ro'n i lawr y stryd fatha shot. Fel ro'n i'n diflannu rownd y gornel, ro'n i'n medru clywed y capten yn canu *Rule Britannia* nerth ei ben.

Ma 'na nytars i'w cael!

Diolch byth, mi ges i fwy o lwc yn y tai eraill, ac erbyn i ni gasglu'n ôl ar y Maes, roedd gen i gelc go lew yn fy mhoced, er 'mod i'n teimlo'n bîg am y peth.

Roedd gweddill yr hogia 'run peth.

'Dwyn oddi wrth y werin man – *no way*!' meddai Pits fel tasa fo'n methu coelio beth roedd o newydd 'i neud.

'Ges i fy sbonsro gan un boi oedd yn gweithio ar hen Peugeot 205 Gti,' ochneidiodd John gan ysgwyd ei ben, 'ac ro'n i'n medru deud yn iawn bod isho sboilar newydd arno fo.'

'Dwi efo ti, frawd,' medda Pits gan roi ei ddwrn ar ysgwydd John mewn cydymdeimlad.

'Os dach chi'n teimlo mor ddrwg â hynny am y peth, fasach chi heb fynd yn y lle cynta,' medda Marie oedd yn cofleidio llond bag o sdwff o Boots.

Fel roedd pawb yn trio rhesymu'r peth yn eu pennau, daeth Jason yn sgwario ac yn bownsio i lawr y lôn fel tasa rhywun wedi rhwbio *deep heat* dan ei gyseilia fo a mwstard ar ei din o.

'Jason Spencer – di ffidlo *hundred and twenty squids* allan o bobol,' broliodd Jason yn amlwg yn falch ofnadwy, 'ac mae pymthag punt ohono fo wedi mynd ar hon!'

Chwifiodd Jason botel o fodca hanner gwag uwch ei ben yn fuddugoliaethus. O na! Roedd Jason wedi bod yn yfed. Roedd hwyliau da arno fo ar y pryd, ond pan mae o wedi meddwi, does 'na'm deud pryd neith o droi'n filain. Cau ceg a chytuno efo fo ydy'r unig ffordd.

'Da, Jase,' meddwn i'n dawel.

'Ti 'di casglu'r pres i gyd yn barod?' holodd John.

'Bron. Dwi am fynd i gasglu'r gweddill fory – ar ôl cerdded y 'daith' heddiw.'

'Sut gest ti gymaint?' holais i'n ddiniwed.

'Tai'r hen bobol 'de. Hen bids yn clywed sod ôl ac yn sbonsro pob dim.'

'Uffar gwael!' bytheiriodd Marie.

Chwarddodd Jason dros bob man wrth gymryd cegiad arall o'i botel.

Ddaru'r hogia na finna ddim deud dim. Gormod o gywilydd, mae'n siŵr. Ac eto – ella mai Jason oedd yn iawn. Roedd y gweddill ohonan ni'n trio dangos ein bod ni'n teimlo'n ofnadwy ac eto roeddan ni'n ddigon parod i ddwyn pres pobol 'run fath. Beryg mai ni oedd y cachwrs go iawn – dim Jason. O leia doedd o'm yn smalio'i fod o'n poeni am y peth.

'Does dim ots gin i pwy dwi'n gonio!' gwaeddodd Jason wedyn gan simsanu yn erbyn y fainc.

Wrth i'r hogia a finna sbio ar ein traed, mi syllodd Marie i fyw llygaid Jason.

'Ffŵl annifyr wyt ti, Jason, a dim byd arall.'

'*Watch out*! Ma Mother Theresa 'di ca'l y myll!'

'Nadw. Deud ffaith dwi,' atebodd Marie'n cŵl, 'ti'n pathetic.'

'Jest am nad oes gin ti'm y gyts i ripio pobol, paid â dechra arnan ni,' poerodd Jason yn ôl arni gan dagu ar ei fodca.

'Dwi angen y pres mwy na neb Jason, ond 'na i'm 'i ddwyn o.'

'Be sgin *ti* i wario arno fo?' gofynnodd Jason, y 'ti' fel wermod ar ei dafod.

Mi aeth wyneb Marie yn sblotsys pinc i gyd fatha sleisen o spam. Roedd yn amlwg bod Jason wedi cyffwrdd ar rywbeth.

'Gwario ar rywun arall faswn i. Tydy pawb ddim mor hunanol â chdi.'

A dyna grynhoi Marie i chi. Tra bod stafelloedd y gweddill ohonan ni'n blastar o bosteri am bethau sy'n bwysig i ni, mae waliau Marie'n hollol foel heblaw am ddau lun o'i mam bob ochr i'r gwely. Mae pawb arall wedi hongian eu dyheadau ar y waliau. Wedi gosod ei dyletswydd yno mae Marie.

Edrychodd Jason arni trwy niwl y fodca. Am eiliad, ro'n i'n meddwl ei fod o am roi slap iddi, ond doedd gan Marie mo'i ofn o o gwbwl ac roedd Jason yn gwbod hynny.

'*Whatever,*' meddai Jason gan droi oddi wrthi. Roedd o'n gallu gweld ei bod hi'n feistres arno.

Wrth i Jason ddringo i dop y fainc yn feddw, mi gynigais fy llaw i Marie ond troi i ffwrdd wnaeth hi. Roedd hi'n gryfach na deg ohona i. Mi rois fy llaw yn ôl yn fy mhoced gan sylweddoli nad oedd gen i ddim byd i'w gynnig iddi.

Roedd Jason yn gwbod ei fod wedi colli'r frwydr fach yna efo Marie. Roedd yn rhaid iddo gael y sylw yn ôl felly mi dynnodd ei drowsus i lawr rownd ei bengliniau a dechrau tynnu sbredar ar bob car oedd yn pasio.

'Dwi ddim yn meddwl bod na neb isho gweld dy din di, Jason,' ochneidiodd Marie.

'Hei Bleddyn! Bledd!' chwarddodd Jason gan

simsanu fel bocsar ar fin hitio'r canfas, 'sgin ti feiro?'

'Nag oes – pam?'

'I chdi ga'l rhoi W ar bob un o 'mocha tin i – mi fasa'n sillafu WOW wedyn! Neu dau P i gael POP!'

Rhaid i mi gyfadde 'mod i wedi ffeindio hynna'n reit ddoniol ond mi rodd Jason yn meddwl bod o newydd ddeud jôc doniola'r byd. Roedd o'n ei ddyblau yn chwerthin a'i ben-ôl gwyn yn yr awyr i bawb ei weld.

'Dyro dy drowsus yn ôl amdanat, Jason!' medda Marie gan grychu ei thrwyn.

'Ie, man,' ategodd Pits, 'dyro rywbeth am dy din cyn i chdi gael dy arestio.'

'Paid â malu!' gwaeddodd Jason, 'dwi'n mynd i ddechra gneud *sunnies* rŵan!'

'NA!' bloeddiodd pawb yn un côr penderfynol.

Chwarddodd Jason wrth iddo gau ei falog a dod yn ôl i eistedd rownd y fainc.

'Lle basach chi hebdda i, e?' gwaeddodd Jason gan roi pen John o dan ei gesail a rhwbio'i ddwrn ar dop ei rwdan. 'Eh, Johno?'

Dwi'm yn siŵr beth fyddai'r ateb cywir wedi bod. Mewn rhywle gwell ella. Neu ella mai defnyddio Jason oeddan ni. Tra bod Jason o gwmpas, o leia roedd gynnon ni esgus am fod mor bathetic. Beth bynnag oedd yr ateb, doedd neb isho dadlau efo Jason yn y fath gyflwr. Roedd ei lygaid o'n pefrio'n wyllt ac roedd o'n anadlu'n drwm wrth iddo gymryd cegiad arall o'i botel. Rhedodd cefn ei lawes ar draws ei wefusau cyn serio'i lygaid arnan ni.

'Reit ta! Pwy sy isho betio?' rhuodd Jason.

Ro'n i'n medru clywed ei wynt o lathen i ffwrdd. Roedd o'n ogleuo fel carped clwb nos.

'Ar be?' holodd Pits.

'Dwi'n mynd i roi *arm wrestle* i chdi, Pits,' meddai Jason gan simsanu fel rhywun ar ei ffordd adref o'r *Munich Beer Festival*, 'ac os wyt ti'n ennill, 'na i roi deg punt i chdi. Os ydw i'n ennill, mae ar y Nashi denar i fi. Bleddyn?'

Edrychais ar Pits. Rhowliodd hwnnw ei lygaid.

'Oes gen i ddewis?' meddwn i.

'Sod ôl,' atebodd Jason yn fygythiol, 'Pits y pwff – dyro dy benelin ar y fainc ma.'

Dim hyn oedd sîn Pits o gwbwl.

'*Bad vibes,* man,' medda fo wrth gau ei law am law Jason.

'Dwi'n mynd i falu chdi,' poerodd Jason.

'Dim ond un rownd ta,' meddwn i'n awyddus i ddod â hyn i ben. Roedd Jason wedi weindio'i hun yn dynnach ac yn dynnach ac ro'n i isho bod adra'n saff cyn iddo fo ffrwydro. Mi gyfrais i lawr o dri, ac fe ddechreuodd yr ornest.

Yn syth bin, fe gaeodd Jason ei lygaid a rhoddodd ei ên i'w frest wrth iddo streinio i lorio cefn llaw Pits.

Roedd y lysh wedi ei wneud o'n hollol wirion ac roedd mymryn o ewyn gwyn wedi ffurfio ar ymylon ei geg. Roedd o fel anifail gwyllt.

'*Grrrrr,*' rhuodd trwy ei ddannedd wrth bwyso'i ysgwydd ymlaen a rhoi mwy o bwysau ar Pits. Ond er mawr syndod i bawb, wnaeth llaw Pits ddim symud fawr ddim.

'Cym on, Pits!' sgrechiodd Jason gan gau ei ddwrn yn dynn am law Pits a dechrau strenio eto.

Roedd llygaid Jason yn sgleinio fel tasa rhywun wedi rhoi côt o farnish arnyn nhw ac roedd ei wep wedi ei chrychu'n ystumiau hyll. Roedd ei dalcen bron yn cyffwrdd â'r fainc erbyn hyn. Mae'n rhaid bod y fodca wedi cicio i mewn go iawn rŵan achos roedd o'n *steaming*! Yn sicr, roedd o'n rhy feddw i ennill unrhyw *arm wrestle*.

'Gad iddo fo guro,' meddwn i gan blygu ymlaen i sibrwd yng nghlust Pits.

'Na, frawd. Mae gan Pits ei hunan barch,'

Ro'n i'n gwbod y basa petha'n mynd yn flêr tasa Pits yn ennill.

'Plîs, Pits,' medda Marie wedyn. Roedd hi'n poeni hefyd.

Ond, yn anffodus, doedd 'bardd y bobol' ddim yn fodlon gwrando. Fe wenodd cyn plygu ymlaen, troi ei ysgwydd a gwthio llaw Jason nes roedd hi'n fflatnar yn erbyn pren y fainc.

'*Nice one,* Pits!' bloeddiodd John braidd yn annoeth.

Cododd Jason ei ben a syllu ar bob un ohonan ni o un i un. Roedd ei lygaid wedi rhowlio'n ôl yn ei ben o'n rhywle, fel yn y llunia yna dach chi'n 'i gael o *rock stars* yn sdagro allan o glybiau. Doedd o ddim fel petai o'n gwbod beth oedd wedi digwydd.

'Tenar,' medda Pits braidd yn sarcastig. Syllodd Jason mewn penbleth arno wrth i Pits ddechrau ffidlo efo'i *i-Pod*. Roedd fel petai Jason yn trio datrys problem enfawr yn ei frên. Roedd o'n gwbod ei fod o'n flin, ond doedd o'm yn siŵr pam.

'Sna'm yn well i chdi fynd adra, Jase?' holais er mwyn torri ar y tawelwch.

Edrychodd Jason arna i am ddeg eiliad anghyfforddus yna fe fflachiodd rhywbath ar draws ei lygaid. Heb unrhyw rybudd fe bwysodd dros y fainc, gafael yng nghefn pen Pits a tharo ei wyneb i lawr yn erbyn congol y fainc.

'*Aaaaa!*' bloeddiodd Pits mewn poen wrth i'w drwyn ffrwydro gan dasgu gwaed i bob cyfeiriad.

'Jason, y bastad gwirion!' sgrechiodd Marie.

Dim ond sefyll yno'n gegrwth wnaeth John a finna. Roedd pawb ofn deud dim. Cododd Jason ar ei draed a chydio yn ei botel fodca wrth i Pits drio'i orau i gwpanu ei waed yng nghledrau'i ddwylo.

Pwyntiodd Jason ar bob un ohonan ni cyn cymryd swig o'i botel a simsanu i fyny'r stryd.

'Twl,' sibrydodd Pits gan afael yn ei drwyn oedd wedi dechrau chwyddo nes roedd o'n edrych fel llew.

Trodd pawb i weld Jason yn mynd igam-ogam am adref. Cyn iddo droi y gornel, fe daflodd ei botel at gar oedd yn pasio. Fe fethodd y car o ychydig fodfeddi a chwalodd y botel yn dipia mân ar y lôn ond roedd bwriad Jason yn glir. Roedd o wedi mynd oddi ar y rêls yn llwyr.

Wnaeth neb ddeud dim am sbelan nes i Marie grynhoi'r syniadau anghyfforddus oedd ym mhennau bob un ohona ni.

'Ma un ohonach chi'n mynd i orfod sortio'r boi 'na, hogia. Cyn y bydd hi'n rhy hwyr.'

Pennod 5

Chwarae teg i John, mae o wedi gweithio ar y car 'na nes bod coch ei din o allan fatha llawes crys. Mae unrhyw bres yn y tŷ, sy ddim yn cael ei biso'n erbyn y wal gan Malci, yn cael ei wario ar gar John. Mae ei stafell wely o'n drwch o bosteri ceir. Mae gynno fo lunia o geir na fydd o byth yn berchen arnyn nhw – Ferraris, Masseratis, Aston Martins a ballu a lluniau o geir allan o *Max Power* – Escorts a Novas a phetha felly efo'r *bodykits* mwya welsoch chi erioed arnyn nhw. Dyma'r ceir mae John yn breuddwydio amdanyn nhw ac er nad ydy o ddim yn ddigon hen i yrru car ar y lôn eto, mae o'n benderfynol y bydd y Corsa'n barod i fynd yr eiliad bydd o'n un deg saith oed.

'Faint 'nes di hel ta?' holais wrth gyrraedd yr hen stâd ddiwydiannol lle'r oedd John wrthi'n gosod egsôst newydd ar y car.

'*Forty two squid*,' atebodd John, 'ac mi es i'n syth i brynu partia i'r car.'

'Ges i tua hanner can punt,' meddwn i.

'O'n i'n teimlo'n lwmp o giami ddoe, ia,' medda

John, 'ond dim ein bai ni ydy o.'

'Be ti'n feddwl?' gofynnodd Marie.

'Ni sy di ca'l ein ripio off de,' rhesymodd John, 'Maen nhw'n deud 'thach chdi yn rysgol i weithio'n galed i ga'l job ond does 'na'm jobsys ar gael. Does gan neb bres a does 'na ddim byd i wario pres arno fo yn y dymp dre yma, eniwe. Sdim rhyfadd ein bod ni gyd mor desbret. 'Di cael ein gyrru'n wirion 'dan ni. Os 'dan ni'm yn ofalus, mi fyddwn ni i gyd fatha Dad. Yn dew, yn dipresd, yn smeli ac yn piso'n ein trowsus bob dydd.'

Dim dyna oedd yr amser i ddeud wrth John ei fod o'n smeli yn barod, felly cadw'n dawel nes i. Mi ges i lun sydyn yn fy mhen ohona i fatha Malci – yn cerdded rownd dre yn lysh bob dydd yn gweiddi ar geir ac yn siarad efo'r afon. Mi nath hynny fi'n lwmp o dipresd.

'Dwi am roi fy mhres i i gyd ar y lotyri,' meddwn i'n syth.

'*Rollover* heno,' medda Marie.

Roeddan ni'n gwbod pob dim fel yna. Pryd oedd hi'n wythnos *rollover*, pa gardiau oedd y rhai cryfa wrth chwarae *poker*, beth oedd eich siawns o ennill ar bob *scratchcard*. Pob dim. Roeddan ni'n gwbod yn iawn bod eich siawns chi o ennill y lotyri tuag 1 ym mhob 14,000,000. Swnio'n hollol hurt ac eto mae rhywun yn rhywle'n ennill bron bob tro. Mae gan bawb gyfle llawn cystal â'r boi nesa. Jest bod y bys mawr erioed wedi dod allan o'r awyr i ddeud – '*It's you!*' wrtha i. Tipicyl.

'Ar be fasach chdi'n gwario'r pres?' holodd Marie.

''Swn i'n mynd rownd Dre i roi'r pres noddi yn ôl, wedyn 'swn i'n mynd â phawb am wylia i rwla poeth! Be amdana chdi, John?'

''Swn i'n ca'l McLaren F1, Aston Martin DB9, Ferrari 250GT ac Audi TT i fynd i siopio!'

'Smart!' meddwn i'n wên i gyd. Roedd hyn yn llawer mwy o hwyl na dychmygu fy hun yn yfed yn y Con Club efo Malci bob dydd.

'Marie?'

''Swn i'n mynd â Mam i America i gael triniaeth call a tra 'swn i yno, bydda waeth i mi bicio draw i New York ddim i siopio am ddillad!'

Mi ddaeth 'na deimlad cynnes dros bawb wrth i ni droi ein breuddwydion drosodd a throsodd ym mheiriant golchi ein dychymyg.

Pits chwalodd bob dim.

''Swn i'n talu boi o Lerpwl i chwalu penglinia Jason!'

Mi 'nes i droi 'mhen i gyfeiriad y llais a chael coblyn o sioc. Roedd 'na olwg y diawl ar Pits. Roedd ei wyneb o'n ddu-las ac wedi chwyddo'n lympiau mawr. Dwi wedi gweld byrddau darts mewn ffeiria mewn gwell cyflwr. Roedd o'n edrych fel eliffant newydd fod mewn damwain car.

'Di o'm yn rhy ddrwg, Pits,' meddai Marie mewn llais mamol, 'ro'n i'n disgw'l i chdi edrych lawer gwaeth.'

Mi edrychodd John arna i a dechreuodd y ddau ohonan ni chwerthin nerth ein penna.

'Tasa fo'n edrych rhywfaint gwaeth, 'san ni'n medru codi pres ar bobol i ddod i'w weld o!' meddwn i gan dagu ar fy chwerthin.

''San ni'n neud bom mewn *freak show!*' sgrechiodd John.

'Peidiwch, bechod!' protestiodd Marie ond roeddan ni wedi mynd i hwylia.

'*Roll up! Roll up!*' meddwn i wedyn gan ddynwared dyn mewn ffair, '*come and see the amazing Pitchfork Pits – the man with a burnt cabbage for a face!*'

'Ie – Ha! Ha!' meddai Pits gan rowlio ei lygaid.

'Hei – mi fasan ni'n medru heirio chdi allan i bartis *Halloween,* Pits!' chwarddodd John.

'Dos i roi dy hen beth mewn minsar 'nei di?' atebodd Pits a'i dafod yn dew. Roedd ei wefusau wedi chwyddo gymaint fel bod gynno fo *trout pout* y basa Lesley Ash yn genfigennus ohono.

'Ie, dewch rŵan, hogia – chwara teg,' medda Marie a oedd â chysgod gwên ar ei hwyneb hi, hyd yn oed.

'Ma'n brifo 'chi,' meddai Pits yn benisel. Doedd o ddim mewn hwyliau i siarad mewn rhigymau heddiw.

'Sori Pits,' meddwn i ar ôl dod ata fy hun, 'jest yn gymaint o sioc dy weld di.'

'Ti 'di bod i hel dy bres eto?' gofynnodd John.

'Naddo,' atebodd Pits, 'dwi'm isho dychryn pobol!'

Ceisiodd Pits wenu ond roedd o'n edrych fel tasa fo newydd lyncu pry.

'Be ti am neud ynglŷn â Jason ta?' holodd Marie.

'Be alla i neud?'

'Leinio fo'n iawn faswn i,' meddai Marie wedyn heb ddim amheuaeth.

''Sa fo'n malu fi, siŵr iawn,' atebodd Pits gan gicio ei droed yn erbyn olwyn y car.

'Ma isho i'r tri ohonach chi sefyll efo'ch gilydd a'i herio.'

'Mi nawn ni ryw ddiwrnod,' meddwn inna heb fawr o arddeliad.

'Beth am agor llyfr betio ar y cynta i roi slap iddo fo?' cynigiodd Pits.

''Swn i'm yn rhoi bet ar 'run ohonach chi,' atebodd Marie, 'dach chi'n ormod o jibars.'

'Ella bod chdi'n iawn,' meddwn i'n dawel.

'Dyna ni!' gwenodd John wrth godi ar ei draed, 'Egsôst *Janspeed* newydd sbon. Mwy o bwêr a mwy o swn!'

'Tania fo ta!' medda llais y tu cefn i ni.

Sgidiodd Jason ei feic i stop fodfeddi o fonet y car. Roedd o'n gwenu fel dyn odd newydd glywed bod Kylie isho mynd am ddêt efo fo. Estynnodd i'w boced am wad enfawr o arian papur.

'Sbiwch ar hwnna ta! Ma gin i fwy o bres na Bryn Terfel!'

Chafodd o fawr o ymateb gan y gweddill ohonan ni.

'Be sy'n bod arnach chi?'

'Dwi'n meddwl ddyliach chdi ymddiheuro i Pits,' meddai Marie.

'Am be?'

Cododd Pits ei ben a thynnodd ei gap *baseball*.

'Wow, Pits – ti 'di disgyn o dan lorri neu rywbeth?'

'Chdi ramiodd fy mhen i i mewn i fainc bren,' atebodd Pits yn bwdlyd.

'Pan o'n i ar y fodca?' holodd Jason, 'Ddyliach chdi wybod i beidio 'nghroesi i pan dwi'n beipan. Ynde, hogia?'

Chwarddodd Jason wrth edrych ar John a fi. Dwi'm yn siŵr beth wnaeth John ond chwarae efo 'nwylo nes i.

'Ti am ymddiheuro ta?' mynnodd Marie eto.

'Ie – sori, Pits,' meddai Jason heb feddwl 'run gair.

Ro'n i ar fin deud wrth Jason y dylia fo ymddiheuro go iawn i Pits. Wir yr rŵan, roedd y peth ar flaen 'y nhafod pan dorrodd John ar y tawelwch.

'Dach chi isho clywed yr egsôst ta?'

Aeth John rownd at ochr y gyrrwr, trodd y goriad yn y clo a thaniodd yr injan. Lloriodd John y sbardun gan godi'r refs yn uwch ac yn uwch nes oedd 'na fwg du yn tasgu allan o beipen arian yr egsôst newydd. Nodiodd John yn falch. Dwi erioed wedi ei weld o'n gwenu gymaint. Roedd o wrth ei fodd efo'i gar.

'Beltar o sŵn ta be!' chwarddodd John wrth dynnu ei droed o'r sbardun.

'Grêt,' atebodd Pits yn dawel. Roedd o'n dal i edrych yn chwerw ar Jason allan o gornel ei lygaid.

'Pwy sy isho mynd am sbin ta?' holodd John wedyn.

'Ti'm 'di pasio dy dest,' meddai Marie.

'Mond rownd y stâd,' atebodd John, 'does neb o gwmpas.'

Roedd yn amlwg bod John yn wir isho dangos ei fod o'n medru gyrru car felly neidiodd Jason i sedd y teithiwr ac fe wasgodd Pits rhwng Marie a finna yn y sedd gefn. Efo gwyneb Pits fel roedd o, roedd Marie a fi'n edrych fel tasen ni wedi ffeindio *alien* ac wrthi'n mynd â fo at yr heddlu.

'Arhoswch funud,' meddai John gan ddringo allan o'i sedd, 'dwi'n meddwl 'mod i 'di gada'l sbanar o dan y car.'

'Chdi ydy'r sbanar,' gwaeddodd Jason wrth i John chwilio y tu ôl i'r car.

Cyn i ni droi, roedd Jason wedi llithro drosodd i sedd y gyrrwr ac wedi llorio'r sbardun gan roi llond ysgyfaint o garbon monocsid i John. Cododd Jason ei droed oddi ar y *clutch* ac fe sbiniodd y teiars yn swnllyd cyn i'r car saethu yn ei flaen gan adael John druan mewn cwmwl o fwg. Ro'n i'n medru clywed John yn gweiddi pob enw dan haul ar Jason wrth i ni saethu yn ein blaenau dros ael y bryn.

Injan fechan oedd yn y car ond roedd John wedi tincro gymaint efo hi fel bod y Corsa'n mynd fel bwlat. Roeddan ni i gyd wedi'n sodro yn y set gefn wrth i Jason fynd drwy'r gêrs.

'Callia'r ffŵl!' sgrechiodd Marie wrth fy ochr gan ymbalfalu'n wyllt am y gwregys diogelwch.

'Sdim rhaid i chdi wisgo un yn fa'ma 'sdi'r gloman dwp,' chwarddodd Jason wrth sdido'r car yn ei flaen.

'Slofa lawr, y dic!' bloeddiodd Pits wrth i ni fomio tuag at ben y lôn.

'Cachwr!' atebodd Jason gan yrru'r car yn galetach fyth.

Cyn pen dim, roeddan ni wedi cyrraedd pen draw'r stad. Os oedd fy nhrôns i'n lân cynt, doedden nhw ddim rŵan!

'Gad fi allan!' mynnodd Pits.

'Sdedda'n fa'na, gwyneb bwyall.'

'Wyt ti 'di dechra dysgu dreifio?' holodd Marie wrth gwffio am ei gwynt.

'Tro cynta!' atebodd Jason gan droi'r car yn ôl i wynebu'r ffordd arall.

'Ti'n nyts, Jason!' meddwn i gan lyncu'n galed ar fy mhoer.

'Dwi'n gwbod!' chwarddodd Jason cyn rhoi'r car mewn gêr a bachu ei droed oddi ar y clutch. Do'n i ddim 'di meddwl hynny fel *compliment*!

Saethodd y car yn ei flaen ac roedd y *tacho* yn dangos 7000 o refs cyn i ni droi. Arhosodd Jason nes bod y nodwydd reit ar ben pella'r lein goch cyn newid gêr eto.

'Blydi hel!' sibrydodd Pits gan gau ei lygaid.

O lle ro'n i'n eistedd, roedd fel petai'r lôn yn saethu tuag aton ni. 50, 60, 70 milltir yr awr – roedd y car yma'n magu cyflymder yn gynt na ma sdiwdant yn magu bol. Roeddan ni'n fflio! Dwi'm yn meddwl bod Jason hyd yn oed wedi sylwi ar John yn rhedeg tuag atom ni ar y palmant yn wallgo bost!

'*Hold on*!' gwaeddodd Jason wrth sodro'r sbardun i'r llawr, troi'r olwyn reit drosodd a chodi'r handbrêc 'run pryd.

Aeth popeth yn llanast llwyr wrth i'r car droi fel cwpan mewn dŵr rownd a rownd gan adael marciau teiar du ar y llawr nes bod y lôn yn edrych fel llyfr lliwio babi.

'*Shit a brick!*' chwarddodd Jason dros bob man.

Allai John druan ddim gneud dim ond sefyll yn gwbwl gegrwth a gwylio ei gar yn llithro wysg ei ochr ar hyd y ffordd.

'Jason!' gwaeddais wrth weld y polyn letrig yn agosáu fesul eiliad.

Brwydrodd Jason efo'r olwyn fel petai'n reslo â neidr ond doedd gynno fo'm gobaith mul o ennill rheolaeth ar y ffasiwn sbin. Mi lithron ni am yn ôl am tua deg llath cyn smashio i mewn i'r polyn letrig. Dwi erioed wedi cachu fy hun gymaint yn 'y mywyd.

Ddywedodd neb 'run gair am eiliad. Dim ond eistedd yno'n sbio'n syth yn ein blaenau gan anadlu'n ddwfn. Roedd Pits yn cydio yn ei wddw tra bo Marie'n crio'n dawel. Roedd hyd yn oed Jason yn ddistaw. Hynny yw, cyn i Marie ddechrau ymosod arno.

'Idiot! Idiot! Idiot!' sgrechiodd hi wrth bwyso yn ei blaen a chydio mewn llond llaw o wallt Jason. ''Sa chdi wedi medru'n lladd ni!'

Roedd Marie wedi colli ei thymer yn honco ac mae'n rhaid bod Jason wedi cael sioc hefyd oherwydd fe gymerodd beth amser iddo sylweddoli bod Marie'n glanio dwrn ar ôl dwrn ar ei ben.

'Dyro gorau iddi'r jadan wirion,' medda fo o'r diwedd gan droi yn ei sedd a gwthio Marie i ffwrdd.

Syrthiodd Marie yn ôl ar ei heistedd. Roedd hi mor welw, fel tasa rhywun wedi sugno'i gwaed o'i gwythiennau.

Pan ddringais i allan o'r car, roedd golwg od ar John hefyd. Golwg nad o'n i erioed wedi ei weld arno o'r blaen. Roedd o'n syllu ar gefn ei gar fel tasa fo wedi ei hypnoteiddio. Cerddais rownd i weld ar beth roedd John yn syllu. Roedd bŵt y Corsa yn rhacs. Roedd o wedi ei blygu am i mewn ac roedd yr egsôst newydd yn ddau ddarn. Edrychais eto ar John. Roedd o'n rhincian ei ddannedd ac yn crynu i gyd, fel tasa fo jest â rhewi. Ro'n i'n meddwl am funud ei fod o am ddechrau crio ond wedyn dyma fi'n sylweddoli mai blin oedd o. Dim blin. Lloerig. Pen caetsh. Roedd Jason wedi chwalu'r un peth oedd yn galluogi John i allu ddiodda byw. Wrth iddo weld Jason yn dringo allan o'r car, mi aeth John yn seico.

Rhuthrodd draw gan ddod â'i benglin i fyny'n galed rhwng coesau Jason. Sgrechiodd Jason a disgyn i'r llawr gan gydio yn ei dacl priodas. Dilynodd John honno'n syth efo sleifar o *right hook* i ochr pen Jason nes oedd o ar ei hyd ar lawr.

'*Nice one,* John!' bloeddiodd Pits.

Jason ar ei gefn! Do'n i erioed wedi gweld y ffasiwn beth!

Pwysodd John yn erbyn to'r car wrth iddo frwydro am ei wynt. Dwi'm yn meddwl bod o erioed wedi teimlo fel hyn o'r blaen. Llyncodd yn galed a chydio yn ffram y drws i reoli ei hun wrth i'r adrenalin ei wneud yn benysgafn.

Ro'n i ar fin mynd draw at John pan gododd Jason i'w draed. Roedd o wedi dod at ei goed ac roedd ei lygaid ar dân. Dwi wedi gweld yr edrychiad yna arno sawl tro ac ro'n i'n gwbod bod John mewn trwbwl.

'John!' gwaeddais nerth fy mhen.

Ond roedd hi'n rhy hwyr. Rhedodd Jason at John gan roi cic iddo yn ei gefn. Slamiodd John yn erbyn y car cyn iddo ddisgyn i'r llawr. Pwysodd Jason drosodd wedyn a chodi John ar ei draed gerfydd ei wallt. Mewn fflach, roedd wedi plannu pump neu chwe dwrn yng nghanol wyneb John nes ei fod yn gorwedd yn erbyn yr olwyn ôl efo gwaed yn pistyllio o'i drwyn.

'Stopia, Jason!' sgrechiodd Marie ond wnâi Jason ddim gwrando. Roedd o'n ynfyd.

Llusgodd Jason gorff John ar hyd y llawr nes ei fod o'n gorwedd gyda'i ben hanner ffordd i mewn i'r car. Mi edrychais i fyw llygaid John ond roeddan nhw'n niwl trwchus drostynt. Roedd o bron yn anymwybodol. Camodd Jason draw a chydio yn nrws y car. Roedd o am gau'r drws yn erbyn pen John!

'Gwna rwbath, Bleddyn!' sgrechiodd Marie.

Roedd pob dim fel tasa fo'n digwydd mewn *slow motion*. Dwi'm yn gwbod sut na phryd y gwnes i'r penderfyniad i achub John ond cyn i mi droi, ro'n i'n rhedeg at y car mor gyflym ag y gallwn i. Tydw i ddim yn foi caled o bell ffordd ond weithiau mae rhywun yn gorfod ymateb. Fel roedd Jason ar fin cau'r drws ar John, mi daflais fy hun ato gan ddeifio drwy'r awyr nes i mi lanio rhwng John a'r drws. Slamiodd Jason y drws yn erbyn fy nghoes nes o'n i'n gweiddi mewn poen.

'Symud!' gwaeddodd Jason, 'I mi ga'l hanner ei ladd o!'

'Mae o di ca'l digon!' sgrechiais yn ôl gan godi'n araf ar fy nhraed.

'Tisho go, ta be?' meddai Jason gan gydio yng ngholer fy nghôt.

'Os dio'n golygu bod chdi am adael llonydd i John – ydw,' meddwn i'n syth. Dwi'm yn gwbod be oedd yn mynd trwy 'mhen i!

'Sgin i'm mynadd wastio'n amser efo cachwr fatha chdi,' meddai Jason wedyn wrth i John ddechrau tagu y tu cefn i mi, 'gad i mi ga'l gafael ar John.'

''Na'i fetio chdi ta,' meddwn i yn un rhuthr. Os oes yna unrhyw beth sy'n denu sylw Jason, yna bet ydy hwnnw.

'Be?' medda fo rhwng ei ddannedd gwaedlyd.

'Dwi'n fodlon betio'r holl bres mae bob un ohona ni wedi hel heddiw, y galla i dy guro di mewn ffeit.'

Chwarddodd Jason dros bob man ac ysgwyd ei phen 'na'th Marie hyd yn oed. Beth o'n i newydd ei neud?

'Ti'n siarad rybish rŵan, Nashi,' atebodd Jason gan boeri ar lawr.

Edrychais o'm cwmpas. Roedd yna hoel dagrau o hyd ar fochau Marie, roedd Pits yn edrych fatha rhywbath allan o *Star Wars* ac roedd John yn tagu gwaed. Roeddan ni wedi cow-towio i Jason am yn rhy hir ac ro'n i wedi cael llond bol. Doedd dim amdani ond mynd gam ymhellach eto. Fel mae'r boi ar

Mastermind yn ei ddeud – '*I've started, so I'll finish.*'

'Os bydda i'n ennill, bydda i'n ca'l dy bres di i gyd a ti byth, byth yn cael bwlio 'run ohonan ni eto.'

Sychodd Jason ei geg efo cefn ei lawes.

'A wedi i fi roi harnish i chdi, dwi'n cael y'ch pres chi i gyd a wedyn bydda i'n rhoi cweir iawn i John.'

'Bet,' meddwn i gan drio cuddio'r cryndod yn fy llais.

'Bet,' medda Jason.

Gollyngodd afael yn fy ngholer a phwyso drosodd i siarad efo John.

'Does 'na neb yn cicio fi yn fy *môls* y twlsyn drewllyd. Ti'n mynd i cha'l hi,' meddai gan fflemio ar wyneb John. 'Dach chi'ch dau yn mynd i'w cha'l hi. Nos fory – wyth o'r gloch o dan yr hen bont.'

A gyda hynny, fe neidiodd Jason yn ôl ar ei feic a phedlo'n wyllt i gyfeiriad y dre.

'Be uffar wyt ti di neud?' gofynnodd Pits gan edrych arna i'n dosturiol.

Doedd gen i ddim ateb iddo fo. Ro'n i newydd drefnu ffeit efo'r boi caleta yn yr ardal. Rhoddais fy mhen yn fy nwylo a chau fy llygaid.

Suddodd yr ynfydrwydd yn ddwfn i mewn i 'mhen.

Does gen i ddim cywilydd cyfaddef 'mod i'n cachu plancia.

Pan ddaeth hi'n fore trannoeth, roedd coblyn o stad arna i. Pan ddeffres i, roedd chwys y nos wedi sychu yn nillad y gwely nes roeddan nhw'n galed ac yn grimp fel hen snotrag sy wedi bod yn eich poced am bythefnos. Ro'n i'n methu coelio beth ro'n i wedi cytuno i neud. Ella y dyliwn i fod wedi gadael i Jason falu John. O leia wedyn 'swn i'n medru byw 'mywyd efo fy ngwyneb mewn un darn. Dwi'm yn honni 'mod i'n edrych fel un o'r hogia yna sy'n modelu trôns mewn cylchgronau, ond dwi'm yn *minger* chwaith. Mae fy llygaid a 'nhrwyn a 'nghêg i yn y lle iawn. Beth oedd yn fy mhoeni y bore hwnnw oedd y byddai fy ngwyneb i'n edrych fel draenog sy newydd gael ei sgwashio gan lorri wedi iddo dderbyn y driniaeth gan ddyrnau Jason.

Pan gyrhaeddais i'r maes ddiwedd pnawn, roedd yn amlwg bod gweddill y criw'n poeni amdana i hefyd.

'Does dim rhaid i ti neud hyn ar fy nghownt i,' cynigiodd John gan roi llaw ar fy ysgwydd.

'Mi chwalodd o dy gar di, John!' atebais i.

Ochneidiodd John. Roedd hi'n amlwg ei fod yn teimlo hynny i'r byw.

'Rhaid i ni neud rhwbath, 'does,' meddwn i wedyn gan wenu arno. Edrychais i'w lygaid. Mi wenodd yn ôl arna i ond waeth iddo fod wedi deud – 'Ti'n mynd i gael dy waldio'n rhacs, mêt.'

Roedd Marie wedi dod â photeli o ddŵr yn ei bag.

Pennod 6

Roedd hi'n deud mai syched oedd arni ond ro'n i'n amau bod y dŵr yno i lanhau'r clwyfau.

Cyngor oedd gan Pits i mi.

'Ydy, frawd, mae Jason yn beryg efo'i ddyrnau. Ond aros di i mewn yn agos ato fo. Bang, bang, bang yn ei asennau fo. Mi neith o ddisgyn.'

'Diolch Pits,' atebais i heb fawr o arddeliad. Rapio oedd pethau Pits. Dwi'm yn meddwl ei fod o erioed wedi gwylio ffeit bocsio yn ei fywyd ac eto roedd o'n siarad fel Angelo Dundee mwya sydyn.

'Ti'n siŵr dy fod ti am gymryd y bet ma?' holodd Marie wedyn. Roedd hi'n edrych fel tasa gynni hi bechod drosta i. Fel petai hi wedi gweld i'r dyfodol ac wedi gweld 'mod i am gael cweir.

'Ydw,' meddwn i gan godi a sefyll uwch eu pennau, 'mae'n hen bryd i rywun ddysgu gwers i Jason… '

Dwi'm yn gwbod beth ddaeth drosta i. Dwi'n meddwl fod gymaint o ofn arna i nes bod yn rhaid i mi drio argyhoeddi fy hun y byddai pob dim yn iawn.

Weithiau, dwi'n clywed fy hun yn deud rhywbath ac yn methu coelio mai fi sy newydd siarad. Fel yna roedd hyn yn swnio. Fy llais i odd o, ond roedd fel petai rhywun arall yn rhoi'r geiriau i mi.

'… 'dan ni wedi cymryd gynno fo ers lot yn rhy hir. Mae o wedi ein bwlio ni a'n hitio ni a'n galw ni'n enwau ers ysgol Gynradd. Pits – ti'n cofio fo'n tynnu dy drowsus di i lawr o flaen Nerys Poncia? Deng mlynedd yn ôl oedd hynny a does neb hyd yn hyn wedi wedi ei herio fo. Ydan, 'dan ni wedi cael laff efo fo weithia ond yr hyn mae o'n trio'i neud ydy ein tynnu ni i gyd i lawr i'r un safon â fo. Mae o wedi chwalu car John ar ben bob dim! Dwi wedi cael llond bol. Mae'n amser i rywun roi ei droed i lawr. A fi ydy hwnnw!'

Mi sefais yno efo fy mreichiau wedi'u plethu ar draws fy mrest. Poerais ar y llawr a syllu ar y criw. Do'n i ddim yn disgwyl cymeradwyaeth, ond do'n i ddim yn disgwyl i bawb syllu mor ddigalon ar y llawr chwaith.

'Be dach chi'n ddeud?' mynnais ymateb.

Cododd John ei ben ac amneidio dros fy ysgwydd chwith. Mi shyfflais fy nhraed i droi rownd yn araf bach. Llyncais fy mhoer yn swnllyd. Roedd Jason yn sefyll yno efo tsiaen moto-beic rydlyd yn hongian yn fygythiol o'i ddwrn. Roedd o wedi shafio'i wallt nes roedd o'n edrych yn union fel un o'r rheini sy'n codi twrw mewn gêmau pêl-droed. Roedd yn rhaid i mi glenshio bochau fy nhin i sdopio rhêch wichlyd rhag dianc.

'Bleddyn, be sy gen ti i ddeud?' medda Jason o'r diwedd gan boeri ar y llawr.

Nes i drio ateb, ond mi aeth y geiriau yn sownd yn fy ngwddw, fel tasa nhw'n bysgod yn nofio i mewn i rwyd.

Camodd Jason ymlaen gan swingio'r tsiaen yn fygythiol o ochr i ochr.

'Dwi'n mynd i ramio'r geiria yna i lawr dy gorn cleg di'r Nashi uffar,' poerodd Jason rhwng ei ddannedd.

Mi nes i drio edrych yn galed yn ôl ond roedd gymaint o adrenalin yn sgubo drwy fy nghorff nes 'mod i'n crynu, fel hen gi wedi ei adael allan yn y glaw.

Roedd Jason yn swingio'r tsiaen fodfeddi o flaen fy nhrwyn rŵan ac roedd ei symudiad yn chwythu mymryn o awel ysgafn yn erbyn fy ngwyneb. Roedd hynny bron yn braf, fel tasa rhywun yn rhoi cusan i chi cyn eich hedbytio i'r llawr.

Ond diolch byth, cyn iddo ddod yn rhy agos, fe drodd Jason ei sylw at weddill y criw.

'Pob un ohonach chi i ddod â'ch pres heno – dach chi'n dallt?'

''Dan ni'n dallt y bet diolch, Jason,' atebodd Marie.

'A gwell i rywun fwcio ambiwlans hefyd achos mae'r Nashi mewn trwbwl go iawn.'

Daeth Jason o fewn modfedd i mi. Roedd o mor agos nes 'mod i'n medru ogleuo mai *fish fingers* rhad gafodd o i ginio.

'Wyth o'r gloch, Bleddyn bach. Wyth o'r gloch. Dwi'n mynd i rwygo dy lygaid di allan a piso ar dy frêns di.'

Chwarddodd Jason wrth droi am adref. Doedd dim awydd chwerthin arna i o gwbwl. Wrth i Jason ddiflannu i fyny'r stryd gan lusgo'r tsiaen y tu ôl iddo, fe adewais i'r rhech wichlyd gael ei rhyddid.

Y noson honno oedd y tro cynta erioed i mi sylwi pa mor ddel ydy machlud haul. Dwi'n meddwl mai sylwi nes i y noson honno am fod dyfodiad y nos yn golygu bod yr awr fawr yn agosáu. Ro'n i wedi derbyn bet wiriona fy mywyd ac yn waeth na hynny, fi wnaeth ei gosod hi. Tasa 'na ffasiwn beth â botwm *pause* ar gyfer bywyd go iawn, mi faswn i wedi ei ddefnyddio'r noson honno. Rhewi amser ar y llun ohona i'n gwylio'r haul yn plymio i mewn i'r môr. Dim ond eistedd yno'n *chillio* allan. Peidio pwyso *play* byth eto. Neu gwell byth, pwyso *rewind*, peidio cynnig ymladd yn erbyn Jason a threulio gweddill fy mywyd efo fy mhen yn dal yn gadarn ar fy ysgwyddau.

Roedd Pits, chwarae teg iddo fo, wedi dod â'i *iPod* efo fo i mi ga'l gwrando ar fiwsig i 'nghael i'n barod am y ffeit.

'Jest gwranda ar be sy gan Eminem i ddeud, Bledd,' sibrydodd Pits fel mantra gan wthio'r *earphones* i mewn i 'nghlustiau, 'neith o neud chdi'n flin.'

Do'n i ddim yn lecio deud wrth Pits 'mod i'm yn dallt dim roedd Eminem yn ei ddeud. Roedd y geiriau'n un cawl aneglur. Roedd fy meddwl i ar bethau eraill. A deud y gwir dwi erioed wedi bod â gymaint o ofn ag oedd arna i'r noson honno wrth ddisgwyl am Jason. Roedd fy ngheg i'n sych grimp a 'nghalon i'n curo'n gynt na bît bas unrhyw un o ganeuon Eminem. Anadlais yn drwm. Roedd y gerddoriaeth yn 'y ngneud i'n fwy nerfus byth. Rhoddais daw arno wrth i mi wyro drosodd a chwydu rhwng fy nhraed, er nad o'n i 'di bwyta drwy'r dydd.

'Cod dy galon gyfaill,' medda Pits gan sythu fy nghefn, 'ma'r cardiau I.D. wedi cyrraedd.'

'Gawn ni fynd am beint yn hwyrach,' ategodd John gan smalio bod yn hwyliog.

'Os bydda i'n dal mewn un darn,' atebais yn dawel.

Do'n i ddim yn ffyddiog iawn wrth i mi daro golwg ar y llanast o dan yr hen bont rheilffordd.

Dyma'r union le byddai Jason eisiau dod i gwffio. Does 'na ddim trenau wedi pasio'r ffordd yma ers blynyddoedd. Yn lle sŵn claciti-clac y trenau o dan leithder y bont, sŵn meddwyn yn chwydu neu ddrygi'n griddfan sy i'w glywed yno erbyn hyn. Mae sbwriel ym mhob man – caniau cwrw, pacedi crisps, papurau Rizla, darnau o ffoil, baw ci. Mae'r lle'n dywyll ac yn afiach. Mae goleuadau'r dre i'w gweld yn y pellter ac ar nosweithiau niwlog, fel roedd hi'r noson honno, maen nhw'n taflu gwawr oren ryfedd dros y lle.

Roedd hyn i gyd yn mynd trwy fy mhen pan welais i amlinelliad dyn yn ffurfio yn erbyn y gefnlen oren, niwlog. Roedd o'n sgwario'n bwrpasol ac yn cario potel yn ei law dde. Mi faswn i wedi nabod yr osgo filltiroedd i ffwrdd. Roedd Jason ar ei ffordd.

'Dyrwch eich pres i gyd yn y jar yma,' meddai Jason yn ddisymwth pan gyrhaeddodd. Roedd yna ogla sur-felys ar ei wynt. Roedd o'n amlwg wedi bod yn yfed.

Estynnodd pawb am eu pres. Rhyngon ni i gyd, roedd tua £250 yn y jar. Pob ceiniog ohono wedi ei ddwyn allan o bocedi pobol y Dre.

Cerddodd Jason draw at y wal, cymryd llymaid arall o'i botel fodca cyn rhoi'r jar a'r botel i orffwys ochr yn ochr ar y wal, rhwng y mwsog a'r cregyn malwod.

'Mae o'n pisd!' sibrydodd John yn fy nghlust. 'Ma gen ti jans.'

Anadlodd Jason yn galed. Doedd o ddim mewn hwyliau i falu awyr o gwbl a doedd yna fawr o ragymadroddi i fod.

'Iawn Bleddyn, y Nashi cachlyd – os ti'n curo, ti'n ca'l y pres. Wedi i fi dy falu di bydda i'n mynd â phob ceiniog sy yn y jar. Iawn?'

'Iawn,' atebes i, braidd yn wichlyd. Roedd hwn yn deimlad hollol estron i mi. Os dach chi wedi cael eich gorfodi i fynd ar lwyfan steddfod erioed, neu wedi gorfod mynd i eistedd y tu allan i stafell y prifathro, mi dach chi'n gwbod sut beth ydy bod yn nyrfys. Ond tan i mi sefyll yno'n wynebu Jason, do'n i erioed wedi dallt o'r blaen mai brown ydy lliw adrenalin.

Tynnodd Jason ei grys-t nes oedd o'n noeth at ei ganol. Tydy Jason ddim yn arbennig o fawr, ond mae ei gyhyrau i'w gweld yn glir. Mae fel petai ei groen wedi cael ei lapio amdano'n dynn, dynn. Mi allwch chi weld ei fysls o'n gweithio dan ei groen ym mhob symudiad mae o'n neud. Y noson honno, roedd o'n fy atgoffa fi o un o'r posteri *anatomy* yna rydach chi'n eu cael mewn dosbarthiadau Biol. Penderfynais beidio â thynnu 'nghrys. Tydy boi sy'n edrych fel cribin wedi'i wyngalchu ddim yn codi ofn ar neb.

'Tyd ta, Bleddyn bach,' medda Jason yn wawdlyd gan gamu ymlaen, 'Tafla di'r dwrn cynta.'

Roedd o'n edrych yn syth tuag ata i efo hanner gwên fel craith hen ffos yn croesi ei wyneb. Roedd o am roi stîd go hegar i mi, ac roedd o'n gwbod hynny yn iawn.

Caeais fy llaw yn ddwrn wrth i'r ddau ohonan ni

fynd rownd a rownd ein gilydd fel dau geiliog, y naill yn disgwyl i'r llall neud y symudiad cynta. Dwi'm yn gwbod beth oedd gweddill y criw yn 'i neud. Ar y pryd, ro'n i'n teimlo mai dim ond Jason a fi oedd yn y byd i gyd.

'Tyd, Bleddyn,' sibrydodd Jason eto a heb feddwl, mi ruthrais tuag ato.

Dwi'm yn siŵr iawn beth ro'n i'n trio'i wneud ond roedd o rywbeth rhwng pynsh a thacl rygbi. Beth bynnag, do'n i ddim hanner ffordd drwy'r awyr pan gamodd Jason i fy osgoi a phlannu dwrn sydyn yn fy sennau ar yr un pryd.

Glaniais ar y llawr gan gwffio am fy ngwynt. Doedd pethau ddim yn mynd cweit fel ro'n i wedi gobeithio!

Cyn i mi gael amser i dosturio gormod, roedd Jason wedi wedi fy llusgo ar 'y nhraed. Gafaelodd yn fy nghlustiau cyn tynnu'n 'mhen tuag ato a chwalu'n 'nhrwyn yn erbyn ei dalcen. Ro'n i'n gallu clywed Marie'n sgrechian yn y cefndir yn rhywle ond roedd y byd i gyd yn nofio'n chwil rownd fy mhen.

Tra o'n i'n trio cofio lle'r o'n i, roedd Jason wedi dilyn yr hedbyt efo dau ddwrn syth ac un *uppercut*. Mae'n rhaid 'mod i wedi disgyn ar fy mhengliniau achos dwi'n cofio Jason yn sefyll uwch fy mhen i'n chwerthin. Dyna'r peth ola dwi'n ei gofio cyn iddo fo blannu bŵt maint 10 yn syth ar draws fy ngwyneb. Tasach chi'n edrych yn ddigon gofalus, dwi'n siŵr y basach chi'n medru gweld *Timberland* wedi ei stampio ar draws fy ngwep.

Mae'n rhaid i mi fod yn anymwybodol am dipyn achos y peth nesa dwi'n ei gofio ydy Marie'n gwyro uwch fy mhen.

'Bledd? Bledd ti'n iawn?'

Roedd yna sŵn eco ar ei llais hi, fel tasan ni'n dau mewn ogof. Edrychais arni a thriais wenu ond roedd fy ngwyneb i'n brifo gormod. Dwi'n cofio rhoi fy llaw dros fy nhrwyn a methu deall wedyn pam bod fy llaw i'n goch.

Dwi'm yn siŵr am faint bues i fel yna, ond ar ôl sbelan, daeth llais John drwy'r niwl.

'Paid â'i gymryd o i gyd, Jason.'

'Dos i chwara John – dyna oedd y bet.'

'Ond be am 'y nghar i?'

'Tisho ca'l dy falu fel y Nashi hefyd?'

Codais fy mhen a gweld Jason yn sefyll yn fygythiol uwch ben John. Camodd hwnnw am yn ôl.

''Di o'm ots.'

Chwarddodd Jason dros bob man.

'Dach chi i gyd gymaint o gachwrs â'ch gilydd. Bydda i'n well off heb *losers* fatha chi.'

Wrth i mi wylio Jason yn agor caead y jar, roedd fy mhen i'n teimlo fel tasa eliffant wedi gneud ei fusnes ynddo fo.

'Bechod a deud y gwir,' meddai Jason wrtho fo ei

hun yn uchel, 'achos mi allech chi ddeud mai Bleddyn bia tipyn o'r pres ma.'

'Mi heliodd o bedwar deg saith punt,' atebodd Pits.

''Nath i deulu o gyfrannu mwy na hynna,' chwarddodd Jason, 'nesh i fachu *fifty quid* gan ei nain o. 'Mond punt o'dd yr hulpan am ei roi i mi, felly mi fachais i bres o'i thun bisgits hi.'

Mi es i deimlo'n sâl. Roedd Jason wedi dwyn oddi wrth Nain. Ro'n i'n gwbod ei fod o'n hen shinach, ond do'n i erioed yn gwbod y basa fo'n gneud rhywbath fel 'na. Codais yn araf ar 'y nhraed wrth i Jason droi i gymryd slyg o'i botel fodca.

'Tydy hi'm isho'r pres beth bynnag. Mi fydd hi wedi marw'n o fuan.'

Erbyn i Jason fod hanner ffordd drwy ei frawddeg, ro'n i wedi dechrau sbrintio tuag ato. Dwi'm yn siŵr beth ddigwyddodd i mi. Mi 'nath Nain fy magu fi am sbel pan oedd Mam yn sâl erstalwm a dwi'n meddwl y byd ohoni. Roedd meddwl bod Jason wedi cymryd mantais o'i hoedran hi'n 'y ngwneud i'n wallgo. Mi snapiodd rhywbeth y tu mewn i mi. Ro'n i wedi gweld y coch go iawn!

Wrth i Jason droi rownd eto, mi ddeifiais tuag ato nes ro'n i'n fflio drwy'r awyr. *Flying headbutt!*

Chafodd Jason ddim cyfle i roi ei botel i lawr cyn i gorun fy mhen i slamio i mewn i'w ddannedd o fatha mwrthwl lwmp.

Disgynnodd Jason ar ei gefn ac mi laniais i wrth ei ochr. Roedd fy mhen i'n bynafyd ond ro'n i'n lloerig. Mi ddringais ar ei ben o gan chwifio fy mreichiau yn wyllt a phlannu dwrn ar ôl dwrn ar y cwdyn. Do'n i erioed yn gwbod o'r blaen 'mod i'n debol o wneud y ffasiwn beth.

Dwi braidd yn aneglur be ddigwyddodd wedyn. Dwi'n cofio 'mod i'n anadlu'n uffernol o ddyfn, a bod fy mreichiau i'n teimlo fatha plwm, a dwi'n cofio cwffio'n erbyn John a Pits wrth iddyn nhw'n llusgo i i ffwrdd. Dwi'm yn siŵr am faint bues i yno'n waldio Jason, ond mi gafodd o harnish go sownd.

'Mae o di ca'l digon, mae o di ca'l digon!' sgrechiodd Pits.

Edrychais ar Jason ar y llawr. Roedd ei geg o'n un stwnsh o ddannedd, cnawd a gwaed. Roedd y botel fodca wedi chwalu'n deilchion wrth ei ochr ac roedd ei lygaid o'n syllu mewn syndod, fel carw wedi'i ddal yng ngoleuadau car. Roedd hyn yn brofiad newydd i Jason. Doedd neb erioed wedi rhoi stîd iddo o'r blaen.

Estynnodd Marie y jar i mi wrth i mi dynnu un o ddannedd Jason allan o 'ngwallt.

'Cymer hanner can punt dy Nain, Bledd.'

Cydiais yn y jar ond roedd yn rhaid i mi ei rhoi hi'n ôl iddi hi'n syth rhag ofn i mi ei gollwng. Ro'n i'n crynu fel deilen ac wedi dechrau crio heb reolaeth. Ar ôl poeni gymaint am y ffeit, ac ar ôl brathu 'nhafod rhag tynnu'n groes i Jason am flynyddoedd, roedd y cwbwl yn llifo allan, fel llyn yn chwalu argae.

'Paid ti byth â mynd ar gyfyl tŷ Nain eto – ti'n dallt?' meddwn i wrth Jason.

'A phaid â dod ar ein cyfyl ni eto chwaith,' ychwanegodd John.

Edrychais ar John, Pits a Marie. Roeddan nhw'n gwenu arna i. Roedd fel petawn i wedi codi baich oddi ar ysgwyddau pawb. Fyddai dim rhaid i ni wrando ar Jason byth eto. Ro'n i'n teimlo fel taswn i wedi cael gafael ar ein ffawd ni i gyd ac wedi medru gneud gwahaniaeth.

Ddywedodd Jason ddim byd, dim ond gorwedd yno'n trio deall beth oedd wedi digwydd iddo.

A dyna lle y gadawson ni fo. Ar ei gefn ymysg y baw a'r sbwriel, ei afael arnon ni wedi ei lacio am byth.

Mi rois y jar yn fy mhoced ac fe gerddodd y pedwar ohonan ni'n ôl i gyfeiriad y dre. Roedd gynnon ni bres a doedd yna neb yn y byd i ddeud wrthan ni sut i'w wario.

Am y tro cynta erioed efalla, roeddan ni'n rhydd i lywio ein dyfodol ein hunain.

Pennod 7

Y broblem efo rhyddid ydy ei fod o'n cynnig gormod o ddewisiadau i rywun. O leia pan oedd Jason o gwmpas, yr unig beth oedd yn rhaid i ni neud oedd dilyn ei benderfyniadau fo. Roeddan ni ar ein pen ein hunain rŵan. Dyna pan nathon ni adael i'r deis benderfynu beth oeddan ni am wneud efo'r pres, ar ôl rhoi ei harian yn ôl i Nain wrth gwrs.

Daliodd Pits y deis yng nghledr ei law wrth i John ddarllen y rhestr fer o'n dewisiadau. Dyma oeddan nhw:

1. Mynd rownd y dre a rhoi'r pres yn ôl i bawb wnaeth noddi.
2. Meddwi.
3. Defnyddio'r pres i drwsio car John.
4. Defnyddio'r cardiau I.D. i fynd i'r casino.
5. Rhoi'r pres i Mr Morris gweinidog at gronfa to'r capel.
6. Mynd i Fuse i brynu toman o ddillad.

'Barod?' holodd John.

Ysgwydodd Pits y deis cyn ei daflu ar draws wyneb y fainc. Sbonciodd y deis drosodd a throsodd cyn dod i orffwys yn erbyn can Coke Marie.

Pedwar. Roeddan ni'n mynd i'r casino!

'Ac mae gynnon ni dros £200 i'w wario yno!' sgrechiodd John wedi cynhyrfu drwyddo.

'Tylaen, Marie!' chwarddais i wrth lapio fy mraich amdani.

'Dwi'm yn dod,' meddai Marie'n dawel.

'Tylaen, Mazza,' meddwn i, 'mi rown ni'r pres yn ôl i bawb ar ôl i ni ennill.'

'Rhaid i mi fynd adra i bacio.'

'Be?' holodd John.

'Dwi wedi cael fy nerbyn ar y cwrs nyrsio ac mae 'na le'n rhydd i Mam yn y 'sbyty. 'Dan ni'n gada'l fory.'

Mi nes i sylweddoli'n sydyn ein bod ni ar groesffordd ac roedd gen i ormod o ofn gneud dim heblaw mynd syth yn fy mlaen.

'Un fet fach arall?' cynigais yn bathetic.

'O'n i'n meddwl eich bod chi am newid ar ôl cael gwared ar Jason.'

'Ella 'nawn ni ennill pres mawr,' cynigiodd Pits.

'Gewch chi neud hebdda fi ta,' atebodd Marie.

Edrychodd Marie arnon ni o un i un. Roedd 'na wên drist ar ei hwyneb.

'Na'i dy decstio di i weld sut wyt ti,' meddwn i gan wbod mai deud celwydd o'n i, go iawn.

'Hwyl, hogia,' medda Marie'n dawel cyn troi a gadael.

Mi nathon ni ei gwylio hi'n mynd nes roedd hi'n

smotyn bach du reit ar ben pella'r stryd.

Yna mi drôdd y tri ohonan ni at ein gilydd.

'Casino!'

Tydy pobol mewn casinos go iawn ddim yn gwisgo siwtiau ac yn smocio sigars fel yn y ffilms. Wel tydyn nhw ddim yng nghasino ein tre ni beth bynnag. Roedd pawb yno'n edrych braidd yn desbret mewn jîns a chrysau-t.

Roedd y bownsar ar y drws wedi edrych ar ein cardiau I.D. ni'n fanwl iawn. Cael trafferth efo fy ngherdyn i oedd o. Roedd fy ngwyneb i wedi chwyddo fatha toes teisen afal a do'n i'n edrych dim byd fel y llun ar y cardyn. Ta waeth, ar ôl mwydro'r boi'n rhacs fe gawsom ni ein gadael i mewn a chyn pen dim roeddan ni'n sefyll uwch ben yr olwyn *roulette*.

'*Roulette* go iawn, hogia!' nodiodd John, 'Dim chwara babi rhech!'

'*Immense!*' ochneidiodd Pits.

'Pa rif ta?' meddwn i.

'Rwbath coch fatha Ferrari,' atebodd John.

Mi edrychon ni i gyd ar yr olwyn. Roedd rhywbath hypnotig am ei sgwariau coch a du.

'Un deg tri,' meddai Pits yn benderfynol. 'Anlwcus meddan nhw, ond beth am herio petha!'

'Y cwbwl lot?' holais i.

Nodiodd pawb.

Mae yna *odds* o 35 −1 ar rif sengl ar olwyn *roulette*. Os ydy'r bêl yn glanio ar eich rhif chi, dach chi'n cael £35 am bob punt dach chi'n betio. Mae'n annhebygol iawn wrth gwrs, ond mae 'na siawns bob tro, does?

Mi gyfrais y pres wrth i Pits wneud y swm ar gyfrifiannell ei ffôn. Fe fyddai stêc o dros £200 yn dod ag enillion o dros £7,000 i ni. Hyd yn oed ar ôl rhoi'r pres noddi yn ôl i bobol y dre, fe fyddai 'na ddigon yn weddill i ni neud beth bynnag lecien ni efo fo.

'Y pres i gyd plîs,' meddwn i wrth y crŵpier, 'ar rif un deg tri.'

'Hwn ydy'n ticad ni allan o'r lle ma,' medda Pits yn dawel.

Gosodais ein stêc ar frethyn gwyrdd y bwrdd. Doedd yna ddim troi'n ôl.

Fe afaelon ni yn nwylo ein gilydd dan y bwrdd wrth i'r crŵpier sbinio'r olwyn nes roedd y sgwariau coch a du yn chwyrlïo'n fflach aneglur o'n blaenau.

Caeodd John ei lygaid.

'Plîs,' sibrydodd dan ei wynt.

Wrth i John wasgu fy llaw i'n dynn, mi feddylais am Jason a Marie ac am beth fyddai'r ddau yn ei feddwl wrth ein gweld ni rŵan. Ro'n i'n rhyw gredu y byddai Jason yn falch ohonan ni.

Edrychodd y crŵpier arnon ni i gyd o un i un cyn iddo ollwng y bêl arian yn bwyllog i mewn i'r crochan...